8명의 이야기

‘여덟, 산문집’

가만한 나날

여덟 산문집 88

발 행 | 2024년 02월 19일
저 자 | 가만한 나날
펴낸이 | 한건희
펴낸곳 | 주식회사 부크크
출판사등록 | 2014.07.15.(제2014-16호)
주 소 | 서울특별시 금천구 가산디지털1로 119 SK트윈타워 A동 305호
전 화 | 1670-8316
이메일 | info@bookk.co.kr

ISBN | 979-11-410-7260-5

www.bookk.co.kr

LIST OF

HIS BOOK

05.

SEONG CHANG KYU 성 창 규

'루돌프 극장' 단편 소설

06.

PUREUM 푸 름

'앞이 보이지 않는 자의 세계' 단편 소설

07.

NADE 네 이 드

'해 도둑' 외 1 편의 단편 소설

08.

NEPTUNUSE 넵 튠

'사랑하는 선아에게' 외 3 편의 괴담

나는 내 삶의 불편을 이야기하다
감히 내가 아닌 다른 생(生)에
관심을 갖게 되었습니다

그들은 나에게 삶과 죽음이라는
두 가지 갈래를 주고선
처절함과 괴로움을 이야기하라 합니다
또한 살아내라 소리쳐 주길 바랍니다

이 우울한 시상(詩想) 속에서도
나는,
8을 비스듬히 눕혀 무한대 속에
삶과 죽음을 써 내려갑니다

어쩌면 당신과 나
돌고 돌아
위로나 희망으로 포장된
작은 점 위에서
만날 지도 모르니까요.

WON I JEONG

Won Ijeong

원 이 정

인어왕자

사람이 되고 싶어 바다를 떠난 인어 왕자는 그만,
마녀의 그물에 걸리고 말았네
그녀는 왕자에게 음악과 상자 하나를 주며 말했지

'돈을 벌어 돈을 벌면 사람 된다'

인적 많은 그 길 위엔
음악과 상자를 끌고 출근하는
인어 왕자가 있다
제가 가진 몸만으로도 돈을 벌 수 있다는 자신감은
불편함을 낳았지만,
따가운 눈총 같은 햇빛 아래 타버린 그와 비늘은
검은 고무처럼 질겨 보인다
겸손한 왕자는
하루 종일 팔꿈치로 걸어 다니며
어린아이도 내려다볼 정도로
더 낮게 더 깊게 몸을 숙인다
그와는 아무 상관 없는 음악을 켜고
복(福)이라고 써진 상자를 끌고.
친절하기도 하시지,

눈앞으로 두 다리들이 휙휙 지나간다

‘얼마를 모아야 사람이 되는 거죠?’

그가 이천 원짜리 김밥을 우적우적 씹으며 묻는다
순진한 왕자,
아무도 대답 못할 질문을 하니,
아무도 웃지 못하는 광경이 벌어진다
상자는 며칠째 비어있다

바느질

엄마의 윗도리에서 단추 하나 떨어진다
가슴에 난 구멍으로 탯줄을 끊은 듯
실밥이 길게 늘어져 있다
삐져나온 실밥에도 허기진 저녁
엄마는 날 무릎에 뉘고 바느질을 했다
나이보다 늙은 손가락이 죽은 생선처럼 휘어져
바늘은 맴맴 돌기만 할 뿐 잡히지 않는다
비웃기라도 하듯 무력한 손끝을 찔러대는

바늘, 엄마의 배에서 바느질 소리가 난다
세로로 찢긴 그 흉터가 아물기 전에
뜯고 또 뜯어서 우리가 나왔다
투둑투둑 벌어진 사이로
거머리들이 살을 찌우는 지도 모르고
엄마는 바느질을 했다
풀면 풀수록 더 엉키는 실을 가슴에 감고
점점 늘어나는 구멍이라도
바늘을 계속 찔러 넣었다
실밥을 채 떼지 못한
제왕절개 자국은 붉다

행복한 폐경을 맞은 엄마가

바느질을 끝냈을 때

가슴 구멍을 메운 단추가

손의 땀을 닦아주었다

손은 아직 땀을 흘린다

목매단 꽃

신원 미상의 욕들이 내 눈을 들쑤셔요 말라붙은 눈물이 부서져 내릴 때쯤 나는 잠이 들어요 미약한 잠이네요 탈출을 시도했지만 잠시, 스멀스멀 기어 나오는 혓바닥들이 귓불을 타고 올라오네요 지문 없는 손가락들이 써낸 무게가 심장을 짓찧어 뭉개 놓죠 예전의 흉터들이 지금의 흉터처럼 살아나고 있어요 다시 벌어지려고 하나 봐요 아아, 나는 비명을 지르고 흐느껴요 비릿한 소변 냄새에 꿈에서 깨어나요 손바닥의 습기가 채 마를 틈이 없네요 벌레 같은 눈들이 날 핥고 있어요 낙인찍힌 채 웃고 있는 내가 보여요 행복하고 슬픈 내 노래가 들려요 계획을 감행해요 그림자가 울상 지어요 다섯 평 방 교수대에서 나는 나에게 사형을 선고해요 아래로 축 늘어진 다리가 보여요 다리 위로 하얀 꽃잎들이 떨어지는 게 보여요 눈꺼풀의 속도가 느려지네요 어둠이 문을 닫아요 저렇게 예쁜 꽃잎은 본 적이 없었는데,

나는

물고기자리, 그 녀석

유유히 헤엄치며 살아왔다지
뒤돌아볼 새 없이 큰 강물에 혼자였다지

하나, 둘 모두가 제 자리를 찾아 떠나갈 때도
혼자 남아 그곳을 유랑했었지

어른이라는 이름표가 마침내
네 왼쪽 가슴에 박혔을 때
아가미 가득 채워주던 푸른 물결은
더 이상 네 뺨에 흐르지 않더구나

얕은 물속이라도
거슬러 올라갈 밀물이 남아있었더라면
혹은,
너를 태워 줄 배 한 척 지나갔더라면

태양의 무게에 짓눌리거나
밤이슬에 상처받지 않았을 텐데

아가야, 아직 넌 내게 어린 아이란다
이젠 바늘에 꿰어 들어 올려 줄 테니
너를 둘러싼 어둠으로부터 도망치렴

붕어빵이 헤엄친다

집채만 한 리어카가 걷고 있다 놀라운 힘을 가진 좀 삭은 슈퍼우먼, 사막 같은 두 손으로 반죽 부풀 듯 커버린 무게 지고 간다 오르막길, 땀 인지 눈물인지 얼굴부터 허벅지까지 헛둘 헛둘 자기 주문 외운다 붕어처럼 뻐끔대기만 하는 남편, 반쪽이 되어버린 금쪽 같은 자식들이 오래된 상처 딱지처럼 떨어지지 않는다 아득바득 그녀의 가족사, 옆구리 터진 붕어빵 같아서, 골목 지날 때마다 한숨 번진다 눈치 보며 세운 공장, 이제 밀가루와 팥으로 뜨거운 물고기 만들어 내겠지 찍고 또 찍어내는 이곳은 이동식 붕어빵 공장.

천 원에 네 개, 이황 선생들 반찬통에 쌓이자 붕어가 싱글벙글 돌아간다 통통하게 살이 올라 정말로 저 안에 붕어가 들어있을 것 같은 날, 그녀의 눈이 반짝, 하고 웃는다 붕어들이 돌고 또 돌아, 슬금 고개 내민 달이 왠지 얄미운 날, 별이 반짝, 하고 웃는다

뒤뚱뒤뚱,
떨어뜨린 한숨들 사뿐히 즈려 밟고 간다
이제 내리막길만 남았다
슬슬 도움닫기하는 바퀴
덜컹, 하자 리어카 속 붕어빵이 헤엄친다

내일은 오늘의 아침이에요

나를 나이게 했던 아침은 어디 갔나요 나는 아직도 현실로 돌아올 수 없는 그와 멈춘 관람차 안에 있어요 종소리가 나기를 기다리고 있지만 나는 미리 흐느꼈고 소리는 베개 밑으로 숨어들었어요 물론 젖었지요 어쩌면 그래요 이대로 눈을 뜨면 어제까지 밟아온 그 길을 그대로 가야 하는 것에 치를 떤 건지도 이렇게 한 번은 7시 40분을 무시하기로 한 거죠 10시가 된 거예요 2시간 20분 동안 나는 아무것도 적지 못했어요

왜 전화 안 받아?
무슨 일 있어?

급해 빨리 연락
계속 연락
연락

나는 다시 어둠을 봐요 관람차 안에 혼자 남았네요 이제 막 흔들리며 떨어질 것만 같아요 멀리서 종소리가 들려오면 난 세상에서 제일 검은 피를 묻히며 저 땅을 물들일 거예요 내일 난 그 위에 서 있을 거예요 난 이 흔적이 한때의 헛된 집착이라는 것도 알아요 난 집착을 사랑해요

아직 운전 중

온 가족을 태운 13년식 자동차는
앞자리가 5로 바뀐 후에도
늘 그의 손에서 움직이고 있다

서울을 떠나올 때만 해도
보이지 않는 그 압박에서
해방될 거라 바랐는데

차는 더 이상 그에게 전유물이거나
자랑거리는 되지 못한 채
신호가 바뀌는 대로
차선이 이동하는 대로 따라야 했다

시동을 켤 때마다
아버지의 신발에서 떨어진
모래먼지가 쉰 소리를 내고

종일 제 살을 깎는지도 모르고
달리던 타이어가
어머니의 불편한 다리처럼

좀처럼 속도를 내지 못 한다

그에게 일 순위는 너무 많다
기름칠할 때마다 속이 타들어 가듯이
누적된 km 만큼의 잔고는 쌓이지 않았다

얼마나 더 가야
자신을 위한 정차를 할 수 있을까
방향등은 아직 갈피를 잡지 못하고
위태롭게 흔들리고 있다

봄날은 간다

신림동 외진 골목
짙은 화장 속 눈동자가 사내들을 탐색한다
손에는 외제 여자 전라를 움켜쥔

나도 자유롭고 싶었어

짧은 치마 밑, 하얀
넓적다리가 거리를 배회하고 있다
껌 혹은 사탕으로 포장된 그녀의 명함은
나이 불문 묵직한 아랫도리를 볼 때마다
연신 오빠를 외치며 깔깔깔 웃어대고 있다

쨍그랑
넌 나를 깨뜨렸고
난 지금 그 깨진 조각들 위를 기어 다니고 있어

술들이 몸을 비틀고
출구 없는 무대 위에 서서 그녀가 춤을 춘다
쉼표도 마침표도 없는 춤을 춘다

조각들은 끊임없이 날 쑤셔대고 있어
그립고 무서운 얼굴아

흥얼거리며 지나가는 노래에
골반을 들썩 거리다 그녀는,
팔을 뻗는다
잡히는 건 손, 그녀의 차가운 손

아침이 지고 있다

고물 담는 리어카

그는 주로 사람의 속도로 구른다
초행길이 아닌 곳을 더듬고,
새 것이 아닌 것을 줍는 게 그의 습성이다
때로 주인의 모든 것을 담거나
그 자신이 주인의 모든 것일 때도 있다
두 발이 있음에도 똑바로 서지 못하는 그는,
항상 끌려 다닌다 네 발로 걸어야 한다
앞서 간 두발들이 남긴 흔적을 따라
그는 항상 제 배보다 더 부른 저녁을 먹는다
곧 비워질 것을 아는 포만감은 늘 두렵다
고물은 넘쳐나고 그는 배고프다

어떤 남자가 쓰는 휴지

그녀는 쉽게 풀어져 버린다
거짓말 같은 손길에도
금방 믿는 구석이 있다

뜯긴 흔적들
붕대 말아 감싸본다
둘둘 감아도, 감아도
끝내 짓지 못하는 매듭
손은 알고 있다
하얗게 센 그녀의 정신,
조각난 백지수표를 믿는 그녀

눈물 머금은 엉덩이가 부풀 때면
죽 쥐어짜본다
쭈글거리는 웃음 뚝뚝 흘리는
그녀는,
그저 지나치는 바람에도
몸을 기댄 그녀는 천박하다

벌거숭이 구멍 뚫린 몸이
이리저리 굴러다닌다
그녀는 쉽게 풀어져 버린다

검은 별이 뜨는 방

딱 좁쌀만 한 알갱이들이 생겼다
누르면 튕겨져 나갈 듯 탱탱한 것들이
방 구석구석에 포진해 있다
뭐가 썩었나
사내는 서랍을 열려다 말고 다시 드러누웠다
오늘도 라디오는 자기들끼리 쑥덕이다
'당신이 일할 자리는 없습니다' 통보한다, 핸드폰이
입에서 단내가 났는지 바르르 몸을 떨다 잠잠해진다

며칠째 그는 꼼짝도 하지 않았다
그를 둘러싼 것들이 미세하게 꼼지락대다
쏙 고개를 내밀었다
방향 감각도, 두려움도 없이 힘차게 발등 위로 오르는
그것을 사내는 엄지로 뭉개버렸다
'화려한 날개 따윈 없다'
꾹꾹 눌러 자지러지듯 터지는 애벌레를 보다
괜히 귀가 간지러 죽은 척 잠을 청한다

탁탁
탁탁탁

탁탁

그의 방에 나방들이 별처럼 촘촘 박혔다
더러는 형광등 불빛에 미친 듯 부딪히다 낙하하고
일부는 창문 틈 사이로 빠져나가 맘껏 날개를 펼치는 거다
게 중에 가장 많은 것들은 아무 거동도 없이 사내와 침묵했다
왠지 그 꼴이 싫어 사내는 게 중 많은 것들을 별로 만들어버렸다
가루처럼 바스러지다 흔적만 남기고 떨어지는 나방들
검은 별이 뜨는 방이었다
라디오에선 아직도 새로운 얘깃거리는 나오지 않았다

그녀의 다짐

비는 그녀에게 곧잘 지워지지 않을 얼룩을 남긴다
하얀 스타킹을 더럽히듯 증발하지 않던 지난 사랑의 감정들
완벽하기만 한 지금이 그 언젠가처럼 곤두박질쳐 버릴까 봐
그러나 그녀는, 기억하지 않기로 한다

밤새 뒤척이게 만들던 여름철 장마가 끝나면
느닷없이 찾아온 그를 데리고 가 버릴까
우리의 이야기들이 잠시 머문 수증기로만 남게 될까
그럼에도 그녀는, 생각하지 않기로 한다

술 한 잔에 벌게져 서투르게 고백한 그녀의 말들이
차창 밖으로 새어 피어나지 못한 채 씻겨 내려갈까 봐
찰나의 순간이라도 붙잡고 이 새벽을 견디는 일
그리고 그녀는, 후회하지 않기로 한다

차를 때리던 빗소리가 더 세차게 울어 주기를
서로가 지키고자 했던 비밀과 거짓말이
더 이상 드러나지 않고 땅에 잠기기를, 그대로 묻히기를
그래서 그녀는, 그만두지 않기로 한다

우리의 만남이 한때의 설렘과 호기심이 아니기를

더 이상 빈자리로 남지 않기를

비는 다음 해에도 내릴 것이다

그녀는 다시는, 다짐하지 않기로 한다

너의 아버지

불과 몇 년 사이
두 다리로 서기보다
바닥 생활이 익숙해진 그는

내 나라도 아닌 곳에
생명을 담보 삼아
수많은 밤을 죽음과 마주하다 겨우 살아내었다

종일 내리던 노란 단비
밀림을 없앤다던 그 비를 피했더라면.

누구보다 속도를 내고 달리던 가장(家長)은
눈물로 떨어지고, 한없이 무너져
반 평 방의 공기만이 침묵의 무게를 견디고 있다

'5년 밖에 남지 않았습니다'
제멋대로 삶의 끝을 통보받는 날에도
그날이 올 것 같진 않았지만

이만큼이나 버티는 거 보면

함께한 나날 내내 불만이던
당신의 아내를 위해 참아내고 있는 건 아닐까

더 망가지고 처참해야만
등급이라는 낙인이 새겨진다기에
제 손 하나 까딱할 수 없는 채로
생을 붙들어 매고 있는 건 아닐까

입이라도 벙긋했을 때
너를 알아보지 못했을 때라도
아무 말이나 계속해 보라 할 걸
혼자 있는 세상으로 함께 가주라 할 걸

어쩌면 마지막을 이미 알고 있는 지도 모르지 그는,
소중한 것들이 비로소 평안에 이르렀을 때
그제야 눈을 감으려는 건지도

뚝뚝

창문을 열자 밤공기가
속옷 사이를 훑어봅니다

거칠게 흔들립니다

아이들의 방문은 닫혀 있고 쉽게 열리지 않습니다

시계는 똑같은 시간을 가리키고
나는 그 시간 위에 놓여 있습니다

혼자는 열 수 없습니다
한때는 떠나간 사랑을 이야기하며
소주처럼 쉽게 달아오르기도 했고 그 좁아진 틈
사이를 헤집고 인연이라며
여기까지 끌려왔습니다
나는 어쩌면 빈 상자를 들었음에도
무거워했는지도 모릅니다

더 이상 젖지 않는 몸에서
일어나는 먼지가

오래된 각질처럼 말라붙습니다

창문에 맺힌 이슬이
메마른 방의 목을 축여줍니다
손끝으로 이슬을 벗겨냅니다
유리창에 검은 상처를 내며 뚝뚝,
떨어지는, 뚝뚝
나는 날개가 없습니다

비틀면 난닭

벼슬이 대수냐, 닭의 목을 잡고 비틀자
하늘로 쏘아 올린 소리가 기가 막히게 감동적이다
이런 짧은 비명으로 닭의 생이 떠오르다니
잡힌 닭의 심장보다 모가지를 붙든 심장이
더 미치게 두근거린다
태엽 감듯 돌아가는 닭의 목
얼마나 미련을 남기려 자꾸만 돌아가는 걸까
녹슨 날개가 삐거덕댄다
어쩌지 못하는 공격적인 발톱은
허공을 할퀴고 있는데
배고픈 솥단지가 질식할 듯 숨넘어간다
물갈퀴도 없이 끓는 물에 담기는 닭
덜렁덜렁한 태엽이 감기며 닭은 날았다
물을 딛고 힘껏 날아올랐다
뜨거워도 닭살은 돋는 걸까
오돌토돌하게 부푼 피부가 깃털을 밀어낸다
닭은 제 자취를 남기며 날고 있었다
어디로 가려는 건지, 무능한 날개는
푸드득 푸드득 제 자리 비행만 할 뿐이다
태엽이 멈추자

더딘 마지막을 향해 시위라도 하듯

부리를 쳐드는 닭,

벌거숭이가 된 닭,

제 몸의 반도 안 되는 날개로 날았다니!

한 점의 연민이 닭을 안는다

조용히 집행을 기다리던 닭은

아까보다 좀 더 태엽을 감았지만

더 이상 움직이지 않았다

날갯짓한 흔적 사이로

벼슬 달린 닭대가리만 덩그러니 놓여있다

8을 이어붙여
네잎클로버를 피웠습니다

그 네잎클로버의 잎 하나를
떼어냈습니다

어쩌다 발견하는 행운보다
언제나 행복하고 싶기 때문입니다

가득 사랑하고 가득 행복합시다

불안이 가득한 세상이어도
사랑과 행복이 이기니까요

HYE JIN

Hyenjin

혜 진

파도에게

얘, 파도야

내가 네게 한 발자국 다가서지 못하는 것은
제까짓 삶에 미련이 남아서가 아닐까

닿으면 시릴 테고 잠기면 먹먹할 테니

반복된 마찰로 올라온 거품에
감히 입을 맞춰도 괜찮을까

담아 가줘

내 안은 텅 비어서 금방 쓸려갈 테고
남은 내 온기마저도 그 뒤를 따를 테니

있다 갔다던 흔적마저도 없게 해 줘

같이 가줘

나는 애정이 없고, 사랑이 없어서
너로도 세상이 가득 차버리니까

파랗게 든, 까맣게 든, 뭐든
소리 없이 먹먹하게 같이 잠기자

우리 같이 바다가 되자

책장 끝의 여름

여름밤의 우리는 자국을 남겼다

넘어간 책장 끝의 여름은
매번 헤져있기 마련이다

넘기지 못해 주저하는 손길이
그저 미련 때문만은 아닐 거라

더위가 만연한 밤
그 사이에서 찾아낸 다음 장

물기 가득한 두터운 종이를
태연스레 죽죽 찢는다

돌이킬 수 없음에 안도하는 모순을 뒤로
다시 그 여름밤에 살며시 자리한다

아주 더웠고
아주 습했던

까닭 없는 다정

너를 붙잡거나 혹은
떠밀어버리고 싶은 밤이다

네가 내미는 것들에 까닭을 붙이자
혹여 나를 향한 동정이어도 좋으니

까닭 없는 다정은 독이라던가

내 숨통을 조여서 내뱉는 것들에
결국 너를 애정 한다 불게 만드니

뱉은 애정은 진실이라 박혀버려서
부정하는 것은 모순이 되어버리니

네가 내미는 것들에 까닭을 붙이자
너를 떠밀어버려도 될 까닭

너를 위한

욱신거리는 뺨 안쪽에
미처 물들지 못한 겨울이 있다.

그 겨울은 시리고 두 귀가 멀어서
글자를 적어낼 수밖에 없었다.

빼곡히 제 칸을 채운 낡은 종이는
빈 깡통뿐인 나의 순간과 대조되고

모조리 뱉어냈던 계절들은
모두 아주 시린 겨울이었다.

여전하고, 비참한 순간들을 마주하며

이 낡은 종이 끄트머리에는
너를 위한 겨울과
너를 위한 사랑과

배신

흐르는 강물은 안주의 시인인 셈

강물 안의 활자들이 빼곡해서
대뜸 몇 시간을 들여다보곤 했다

눈은 망각이라 금세 흐름을 잃고
떠다니는 오리의 유영을 알고

오리의 배신을 관음한다

석양을 담가 놓은 부리로 현혹하고
물갈퀴로 활자들을 훔쳐 달아난다

어질러진 시인의 시 위로 망각이 뭉개진다

어떤 활자를 닮고 담아냈나
입안 살을 연이어 씹는다

안부인사

매일을 무능력하고 불완전하게 살고 있습니다

나는 부정을, 그것들을
이긴 전적이 없습니다

내가 해내는 행복들은 너무 얕아서
금방 불안에 잠식되고는 했으니까요

이제 좀 삶이 분명해졌냐 물으신다면
불투명한 글이 답이 될 것 같습니다

스며드는 친절에도 스치는 오지랖이라
타인의 감정을 나와 동일시했으니까요

혹시 저처럼 불안에 잠식되셨나요
아니면 잡음 없는 그런 하루를 보내고 계시는가요

손톱 끝에

반쯤 걸쳐진 손가락에 안도한다

잊혔을 무렵의 단어들이 귓가에 들어와
밀치던 두 손은 이내 불안을 꽉 잡는다

손바닥에 초승달이 비춘다

제 탓인 양 두텁게 초승달을 덮는 너
그 손은 반쯤 걸쳐져 있었고

알량한 그 손을 쥐어 잡는 나
그 손은 참 오래도록 떨렸다

자아의 뜻

문득, 그렇지 않은가

시선은 편협하고
생각은 단출하고
자아는 옹졸하고

가끔 꺼내는 오늘도
겨우 반쪽짜리뿐이라

허우적거리는 폼마저
엉성하고 서투를 뿐인데

그럼에도 나를 건져주는 이는
구원인가, 방치인가

발효되는 불안

불안의 원천을 알아보자.

삶은 불안으로 가득하다. '생각하지 말고 머리를 비워'와 같은 문장은 내게 피터팬과 같이 현실을 죽이는 희망이 된다. 이 이야기를 입 밖으로 내뱉으면 다수의 사람이 이유를 되물을 것 같다. 그럼, 아마도 나는 높게 솟은 굳은 어깨를 으쓱이며 답하겠지.

" 나도 몰라. "

핑계나 회피 따위가 아닌 진심이다. 이유를 알았다면 진즉 해결하지 않았을까 싶다. 이유를 알았다면 이렇게 불안을 적어 내리지도 않을 테니 말이다. 그래서 나름 이유를 찾으려 삶을 뒤적거려봤다. 손에 닿는 것은 뾰족하고 서늘하고 축축했지만, 버릴만한 것은 아니었다. 갖고 싶지도 않았지만 말이다.

큰 불행도 큰 행복도 없는 삶이 그것들을 가두고 있는 듯했다.

하여튼 이제는 슬슬 인정의 단계로 향하고 있다. 반항도 수용도 아무 소용이 없었기 때문이다. 어쩌겠는가, 바라보지 않는다고 불안이 가시지는 않는 것을.

그래, 삶은 원래 불안에 절여져 있는 거다. 다만 신의 실수로 나는 더 오래 절여져서 더 오래 발효되는 것일 뿐이다.

그래도 너무 자주 만나지는 말자. 네가 이따금 겹쳐오면 할 수 있는 게 아무것도 없거든.

엄마

모든 날이 안타까웠노라 말해야겠다.

앞으로도 나는 단어 사이에 눈물이 스밀 것 같다. 이유? 딱히 모르겠다. 심장 안쪽이 저리고 파랗게 멍드는 기분을 뭐라 하던가. 나는 그 심장을 이미 쥐여 드리고 말았다. 파란 심장을 쥐어짜면 구역질에 무엇인가 묻어 나온다. 정의하지도 형용하지도 못할 그것들을 늘 묻히고 다닌다.

내 최선에 늘 함께이길 노력해야지. 무뎌지고 안일해지는 순간마다 파란 심장을 꺼내 들어야겠다. 그러니 그런 따스한 손으로 젖은 나를 그만 어루만져 주세요. 말리지도 못하는 습기를 가져가지 말아 주세요.

행복해지자. 허상일지언정 우리 꼭 행복해지자. 동일하지 못하다 느낄지언정 최선을 다해 사랑할게요.

겨울에게

눈처럼, 사람처럼

온 세상이 하얗게 물들고 입김이 자연스럽다면
약속이라도 한 듯이 그 자리에서 만나자, 우리

두터워진 옷 때문에 몸동작이 둔해지고
장갑 낀 손이 괜스레 간질간질 거리고
귀가 빨갛게 익어서 터지려고 하거든

만나는 거야, 우리

못다 했던 과거와 손길로 온기를 만들어서
추위보다 그리움이 앞서도록 그렇게 말이야

우리 행복해지자, 이 겨울에

추악함

나는 당신의 추악함이었다

한여름의 땀에 흠뻑 젖은 옷처럼
비 오는 날 양말의 흙탕물처럼

눅눅해진 삶에 철썩 달라붙어
이름을 되뇌고 또 되뇌었다

의미 없는 것들이 입버릇이 되도록
축축함을 반복해서 끼얹었다

역겨움이 묻는다

위선뿐이던 삶이 버그러져
그것들이 일제히 나를 쑤신다

힘겹게 눈꺼풀을 들어 올려 보니
손으로 나를 가리키며 울어댄다

'울지마'라는 한 마디에 멈춘다
마치 역겨운 건 나였다는 듯이

백일몽

원망으로 책망하다 보니 끝이 없더라

가라앉는 것이 몸뚱어리요
뜨다 만 것이 운명인 줄 알았는데
되려 높은 곳에 있다니 모순일까

찢어 갈기는 게 네 소망이라, 이루었을 텐데
너는 한없이 다정하고 갓 피어난 꽃처럼 어설퍼서
이유 모를 죄책감에 가라앉게 만드는지 모르겠다

제깟 물방울도 흐려지면 다 잔상이라고 하던데
이제 와서 갑자기 멈추고 그대로 주저앉아 버리면

나는 무엇을 잡고 그리움이라 말할까

이대로 먹먹히 잠겨 온몸이 까맣게 멍들면
차오르는 몸뚱어리가 겨우 껍데기일 뿐이라면
그때는

백일몽, 한낮의 환상일 뿐이라도

착각

철봉으로 바라본 세상은 동질이었습니다

구름을 맛보던 새도
제 갈 길을 알고

못난 곳에 피던 꽃도
저물 때조차 꽃이던데

오롯이 존재하지 못한 나는
한참을 서성이다 침묵합니다

내가 말할 수 있는 건 허망뿐이었음을
그 안에 생하는 것조차 나뿐이었음을

위로의 노래

그 아이는 노래를 불렀나, 남몰래 울었나

마디마다 스치는 기타 줄의 마찰음은
사이마다 숨 쉴 틈을 쥐려는 듯했다

엉성하고 서투른 기타 소리는
너의 하루였음을 나는 안다

나의 위로는 시선에 닿지 않아 증발하고
그곳에는 여전한 너의 노랫소리가 안주한다

그 아이는 노래를 불렀나, 남몰래 울었나

탁, 주황빛 조명이 꺼지고 암흑이 드리우며
무대가 끝나간다

연이에게

연아, 나의 연아

나는 바다를 좋아하고
너는 낭만을 좋아하니

낭만을 묻힌 바다를 보러 가자

하늘에 꽃을 수놓자

아주 찰나이겠지만 드넓은 텃밭에
형형색색의 시끄러운 꽃을 수놓자

곱게 차려진 모래 위에 발을 얹고
짠 내음이 섞인 바다를 맛보면서

손가락 사이로 애정을 옮겨 담고
맞닿았을 애정이라 일컬을 수 있게

바다에 우리를 눌러 담자

첫눈

낭만의 값으로 첫눈을 떼다 팔았다.

꽁꽁 뭉친 함박눈은 제법 값이 나간다. 길거리에 캐럴들이 걷고 낮에도 별들이 서성인다. 왜, 이쯤이면 말도 안 되는 상상에 이유가 덧대진다. 가령 종이로 굴뚝을 접으면 산타도 종이로 오려나 하는 상상 말이다. 낭만은 비싸고 까다롭다. 꽉 쥐면 처연이 되고 느슨하게 풀어지면 망상이 되기 때문이다. 그렇지만 한 번 갖게 되면 오르골 마냥 하염없이 들여다보게 된다.

낭만을 쥐고 웃어보자. 이유 없이 소리 내서 웃어본 적이 언제였던가, 나이가 들수록 쓸데없는 체력 낭비라 생각했던 것 같다. 드러나는 감정만큼 치명적인 약점은 없으니까 말이다. 솔직함이 무기인 줄 이제서야 알게 된다. 뒤늦게 하나씩 주워 담는 것들이 다 낭만이더라.

그러니 첫눈을 모아두자
낭만의 값으로

끝에, 끝

꼬깃꼬깃한 영수증
등불 꺼진 두 눈
두드러진 그늘

어떻게 단어들로 너를 마주할까

나란한 신발
봄날의 아지랑이
수놓은 북두칠성

너의 단어들은 나날이라서
내가 닿으면 찰나가 될 텐데

어떻게 감히 네게 나를 묻히겠어

멈춘 아둔들은 내가 택할 테니
너는 그저 그대로 사랑스러웠으면

나를 밟고
꾸준히, 따뜻이

8을 보자니,
어쩌면 끊임없이 이어지는 일상 같습니다.

가만히 보자니,
매일이 내일에게 덮여갈 것만 같고, 왜 점점
어제가 생각이 나지 않는지 알 것만 같네요.
시간에게 잊혀지는 흐름 속에서 우리도 작고
사소한 것부터 기록하고 남겨두는 것이 어떨
까요?

하루의 일상들을 곱게 매듭지어 보니,
어느덧 리본이 되어 있네요.

SIYO

Siyo

시 요

제1화 나의 해방 일지

'아무도 내게 말해주지 않는

정말로 내가 누군지 알기 위해'

신해철 '민물 장어의 꿈'

나는 10년 차 개발 엔지니어인 기계쟁이다. 새로운 제품을 만들어 현실에 나타내고자 하는 평범한 직장인이기도 하다.

언젠가부터 느꼈던 나만의 갈증들. 이 일이 내 인생의 어떤 의미가 있을지 궁금해졌다. 이 길의 끝은 안갯속 길처럼 언제나 뿌옇게 시야를 가리고 있는 것 같았고, '내 인생의 최고의 길이 아니구나'라며 나에게 다가와 속삭였다. 평범함 속 공허함을 마시며, 매일 같이 고민하던 내일이었다.

사실 학창 시절에는 책이라는 것은 나와 거리가 멀었다. 만화책만큼은 1등을 놓치지 않았던 아이였지만, 소설은 지루했고 글쓰기는 논외의 대상이었다.

불행 중 다행으로, 나는 고교 시절 인문계열을 공부했고, 역사와 정치 과목에서만큼은 1등을 놓치지 않으려 했던 학생이었다. 지금 글을 쓸 수 있는 첫 번째 이유 같지 않은 이유이기도 하다.

시대적 흐름에 맞춰 이공 계열의 대학 생활했고, 거창한 목표는 없었다. 단지 좋은 직장에 취업하기, 그것이 내 20대 시절의 평범한 목표였다. 이렇듯 인생의 초점이 내가 아닌 사회가 되어버림으로써, 잃어버린 어린 시절의 나는 몇 년 전부터인가부터 지금의 나를 천천히 자극해 나갔다.

몇 년 전부터 워라밸 문화가 정착되면서, 여유와 함께 스스로 돌아볼 기회를 가질 수 있던 것 같다.

'저는 요즘 독서와 글쓰기를 좋아해요.'라고 직장 내에서 떠들고 다니곤 했다. 감성은 없는 삭막한 숫자와 데이터 결과 속에, 나는 이방인인 것 같은 신기한 존재이기도 했다. 나 자신도 어떻게 이 분야에 흥미를 가질 수 있었을까, 생각을 해봤다.

아마도 동네 대형 서점에서 아르바이트하며, 책과 친근해진 경험이 아닐까 싶다.

인생에서 아주 짧은 시간이었지만, 지금의 나에겐 크나큰 거름이 되어준 두 번째 이유이기도 하다.

우리나라 국민이라면 모두가 난중일기를 잠시나마 읽은 기억이 있을 것 같다. 짧은 글에서도 느낄 수 있는 이순신이란 인물의 마음가짐과 인생. 문자를 나의 감정에 맞게 나열해놓고, 나를 나타낼 수 있다는 점이 글쓰기의 힘인 것 같다.

이것이 내가 글을 열심히 쓰고, 언젠가 책을 만들어 보고 싶은 이유이다. 비록 지금은 작은 낙서처럼 글을 써 내려가지만, 이런 작은 것들이 모여 언젠가 내 인생의 시가 되어주길 바란다.

제2화 쉼, 내면을 가꾸는 시간

'어떤 날 어떤 시간 어떤 곳에서 나의 작은 세상은 웃어줄까'
나의 아저씨 OST - 손디아 '어른'

TV를 보다 보면, 제주살이하는 연예인들이 많이 볼 수 있다. 대표적으로, 이효리가 아닐 듯싶다.

누구보다 치열했을 20대를 보낸 그녀는 제주도 생활하며, 긴 쉼을 보내고 있었다. 누가 봐도 화려한 삶을 지냈을 그녀는 쉼을 통해 내면을 가꾸고, 존경스러울 만큼 멋진 삶을 채워나갔던 것 같다.

5년 전, 제주 4.3 희생자 추모식에서 그녀는 제주 도민을 대표하여 이종형 시인의 '바람의 집'이라는 시를 낭송했다.

밟고 선 땅 아래가 죽은 자의 무덤인 줄
봄맞이하러 온 당신은 몰랐겠으나
돌담 아래
제 몸의 피 다 쏟은 채
모가지 뚝뚝 부러진
동백꽃 주검을 당신은 보지 못했겠으나

- 생략-

그러므로 당신이 서 있는 자리가 바람의 집었던 것

나에게 제주 봄바람은 언제나 마음의 안식을 주었었다. 하지만 이 시를 읽고 난 뒤에는 그럴 수가 없었다.

누군가는 바람결에 그들을 그리고 그날을 기억하고 있을 테니 말이다. 최근 아버지의 해방일지란 책을 읽으며, 빨치산 혹은 빨갱이에 대해 다시 한번 상기시킬 수 있었다. 그런 의미에서 그녀가 이 시를 낭송하고, 4.3 희생자를 대표하여 추모했다는 것은, 나와 같이 무지한 이들이 그날의 사건에 다시 알아 갈 수 있다는 뜻이며, 그 누군가에게 빨갱이를 추모했다는 정치적 시선으로 좌파 연예인이라 비판 당했을 것이다.

그런데도 이미지가 생명이라는 연예인으로서, 그 누구보다 영향이 있는 여성으로서, 내면의 강함이 없다면 하지 못했을 추모사였다고 생각한다. 그녀에게 쉼이란 어떤 영향이었을까?, 다시 한번 느낄 수 있었다.

그렇다면 나에겐 쉼은 어떤 의미일지 잠시 생각해 보았다.

마음이 지치고 울적한 마음이 아우성 거릴 때 즈음, 나는 감성을 어루만지고 달래기 위해 TV를 틀곤 했다. 벌써 몇 년째인지는 모르지만, 어느덧 나만의 루틴이 돼버린 나의 아저씨 보기. 매년 한 번씩은 몰아보곤 했던 것으로 기억한다. 사실 이 드라마가 방영될 당시에는 관심이 없었다. 아이유란 가수가 연기를 하고, 방영 초반부에서 화제가 된 폭행 장면, 뉴스를 즐겨보던 그때의 나에겐, 단지 가십거리에 불과했다.

시간이 흘러가고, 한 살 한 살의 나이는 많은 경험을 주었다. 좋든 싫든 때론 상처받아가며, 자신을 스스로 치유해야 하는 나이가 되어 버린 것이다. 이맘때쯤, 이 드라마는 사람들 사이에서 자주 회자되었고, 가벼운 드라마가 일상화되어버린 시기였기에, 더 궁금했다. 과연 재미있을까? 드라마 초반부를 보면서, 참을 수 없을 만큼의 어두움에 몇 번을 포기했었다. 이 부분만 참으면 된다고들 하던데..

마치 깊은 잠수를 하는 것과 같아, 거부감이 들었던 거 같다. 마침내, 후계동에서 일어나는 모든 이야기가 막이 내리면, 나도 좋은 사람이 되고 싶다고 생각하며, 일어난다.

'지안? 편안함에 이르렀나?'

이 마지막 대사를 끝으로 어느덧 내 감정도 어르고 달래진 것 같음을 매번 느낀다.

깊은 바다에서 넓은 바다로.

인생은 외력과 내력의 싸움이라는 말처럼 이제 나도 어느 정도 버틸만한 것 같다.

그리고 알 것도 같다. 나만의 쉼을 통해서, 언젠가는 나도 좋은 사람이 되기를 바란다.

제3화 기억, 그 정거장에서

'다음 정거장에서 만나게 될까, 그리워했던 바람을'
IU '정거장'

누군가의 에세이를 읽다 보면, 인간관계에 대한 주제는 항상 나오는 인생의 단골 식재료와 같은 것 같다.

그만큼 사람은 살다 보면 인간관계에 대해 고민하는 시기가 찾아온다는 뜻이기도 한 것 같다. 내가 가장 마음에 와닿았던 내용은 만남과 이별을 버스 정류장으로 비유한 것이었다. 사실 어떤 책이었는지도, 어디에서 누가 쓴 내용인지도 모르는 글귀였지만, 내 기억에 강렬히 남아 몇 년간 곱씹게 했다.

우리는 각자의 인생 노선을 거닐고 있는 것이며, 서로 접합되는 지점에서 만나 다음 버스가 올 때까지 추억을 만들어 나가는 것,

다음 버스를 타게 되어 서로 당분간은 만나지 못하고, 연락을 못 할지언정, 마음이 떠나는 것은 아니라는 것이다. 각자의 인생을 보내다가 잠시 서로의 정거장에 들렀을 때, 그때 네가 있다면 반가움으로 각자의 안부를 묻고 이야기할 것이라는 좋은 내용이었다.

나는 20대 초반에는 노는 것을 좋아하는 성격에, 전국 방방곡곡을 돌아다니며 친구들과 놀곤 했다.

그리고 연휴로 고향 갈 일이 있으면, 직접 친구들에게 전화해서 축구 경기하러 나오라며 매번 소집령을 내리곤 했다. 적극적으로 다 같이 즐기던 어린 시절이었다. 하지만 언젠가부터 생각의 깊이가 한층 내려갔을 무렵부터는 나의 방향성이 많이 바뀌었다.

이런저런 경험을 쌓다 보니, 관계의 횟수에 대해 소홀해지게 되었다. 변화는 나에겐 자연스러웠지만, 때론 누군가에게는 부자연스러움과 서운함을 주었다.

그렇다고 해도 나는 나 자신이 달라졌다고는 생각하지 않는다. 단지 지금은 이게 나의 노선이라고 생각한다. 연락의 횟수를 친근함의 중요도로 생각하는 이들에게는 항상 미안함을 느끼고 있다. 그래서 언젠가 다시 만날 일이 있다면, 나는 관계가 끊어진 것이 아니라, 잠시 서로의 길을 가고 있었을 뿐이었다는 것을 꼭 서로에게 전달하고 싶다.

가끔 고향 친구에게 1년에 한 번씩 전화가 오곤 한다.

'먼저 연락 안 하냐?'

술에 취해선 여자 친구에게 나를 제일 친한 친구라며, 통화를 바꿔 주곤 한다. 그럴 때마다 나는 '여유가 생기거든 보자.'라는 구체적이지 않은 약속만 남기곤 했다. 최근 7년 정도는 간간이 이런 통화가 왔고, 굳이 누군가를 만나려 하지는 않았다.

가끔 그날들의 정거장이 그립기도 하지만, 다시금 만나게 될 정거장이 있다는 믿음이 있다. 잠시 들렀다 가는 간이 정거장일지 언정, 그날까지 나는 후회 없는 오늘과 매일을 보내고 싶다.

그리고 나의 나날들이 누군가에게 이야기하기를 기다린다.

제4화 찰나의 순간에

'꽃길만 걷게 해줄게요'

김세정 '꽃길'

가끔 아침의 루틴이 깨진 날에는 기분이 언짢은 일들이 점점 생기기 시작한다.

떠나가 버린 알람 속의 늦은 잠, 50m 앞에서 시선을 벗어나 버린 버스, 그날따라 반기는 빨간 웃음의 신호에 흘러가는 1분, 덕분에 잡지 못한 환승 버스, 급한 마음과는 달리 다음 버스는 40분 뒤에나 탈 수 있었다.

그렇게 1시간여 정도를 파도 마냥 밀려오는 불편함과 함께 계속해서 '툴툴'거렸다.

홀로 구시렁대던 나는 편의점에서 바나나 우유를 의도적으로 사서 마셨다. 쓰린 마음을 달래기에는 적합한 술은 아니지만, 달달 하게라도 달래보고자 했다.

잠깐의 바나나 향과 쓰레기를 들고 다녀야 하는 불편함을 등가교환을 했음에도, 망가진 리듬은 여전히 내 속을 뒤집어 놓고 있는 것 같았다. 마치 주변 모든 것이 불편하게 만들고 있다는 기분은 점점 나를 갉아 먹고 있었다.

그렇게 길을 걷다가, 생각하지도 못한 곳에서 쓰레기통을 발견했다.

'이게 웬 행운이야?' 나는 스스로 소리쳤다.

그리곤 내내 거슬렸던 고작 11g 정도의 플라스틱 덩어리를 그 자리에서 버렸다. 가벼워진 손과 함께, 그날따라 평소에 가던 길과는 다른 길로 출근해 봤다.

그때 마침, 이어폰 너머 흘러 들어온 꽃길이라는 노래. 곤두서있었던 내 신경은 멜로디에 집중되었고, 도입부에서 평소 들리지 않았던 새들의 지저귐 소리가 미세하게 들렸다.

그리고 노래가 끝난 뒤에는 모든 것을 '훌훌' 털어내었다. 돌이켜보면 그때, 버려진 11g이 점점 팽창해나가고 있던 스트레스 덩어리였던 것 같다.

문득 어렸을 때 기억이 났다. 중학교 시절인가? 친구들을 만나기 위해 길을 걷던 중에 어떤 가게 앞에서 실랑이를 벌이고 있던 어른들을 보았다. 목소리로 느껴지는 심각한 상황이었다.

한 분이 화가 난 얼굴로 뒤를 돌리시는데, 친숙한 얼굴이었다. 둘째 할아버지 댁의 둘째 삼촌이 별안간 그 장소에 계셨다. 삼촌의 반응도 같았다.

'네가 여기 왜 있니?' 하시는 당황한 표정.

그러시고는 깊고 큰 한숨을 내쉬며, 나에게 5만 원을 주셨다. 당시에는 땡잡았다는 표현의 기억만 있었지만, 나중에 들은 사건의 경위는 그러했다. 거래처와 금전적 문제로 뒤집히기 직전에 내가 지나갔고, 그렇게 우연찮은 만남으로 감정을 누그러뜨릴 수 있었다고 하신다.

때론 우연이 하루를 망치기도 하고, 하루를 마치 내 세상인 것처럼 만들기도 한다. 다행스럽게도 나는 그날을 나의 것으로 만들어냈고, 누군가에게도 지금 순간의 우연이 하루를 꽃길로 인도하고 있을 것 같다.

제5화 가족 사진

'나를 꽃피우기 위해 거름이 되었던 그을린 시간들을
내가 깨끗이 모아서 당신의 웃음꽃 되길'
김진호 '가족 사진'

어릴 적 SG 워너비의 노래는 내 또래의 아이들에겐 베토벤 교향곡처럼 합창의 교과서였다.

3명의 목소리로 멜로디를 겹겹이 올려, 마침내 소를 몰아가는 것으로 마무리 짓곤 했다. 몇 년 전인가 불후의 명곡이라는 프로그램에서 김진호가 부른 라이브를 들었다. 어릴 적에 알던 소몰이 창법이 아닌 감성을 몰아가는 그의 소리에 나는 매우 놀랐다. 몇 번이고 이 노래를 듣고, 이렇게 진정성 있게 노래를 부르고 싶다는 생각이 들게 했다.

가족사진이란 노래는 특히 30대 즈음에 어린 시절을 생각하면서 많은 것을 느끼게 해주는 것 같다.

우리 집에서 찍은 가족사진은 내가 군 입대하기 전에 찍은 딱 1장뿐이다. 시골에서 자라신 부모님과 무뚝뚝한 형제 2명이다 보니, 많이 싱거웠던 우리 집이기도 했다.

어린 시절, 유전자는 무시 못 한다는 것을 새삼스레 느꼈던 기억이 있다. 명절에 시골에 가면 할 게 없다 보니, 오래된 장롱 구석에 있는 졸업 앨범들을 구경하곤 했다. 70년대 앨범의 감성이 재미있었고, 흑백 사진 속에서 아버지의 졸업 사진은 많은 생각을 들게 했었다. 나의 졸업 사진과는 단지 흑백과 컬러의 외모적 차이뿐이었다.

나에게도 그때의 감성이 있었듯이, 아버지의 그 날은 어땠을까? 하면서, 나는 가끔 이때의 앨범을 다시 보고 싶다고 생각하곤 한다. 지금으로 말하자면 아프로 펌의 헤어스타일을 하고 있으며, 마치 그 시절 락 밴드의 일원인 것처럼 보이기도 했다. 물론, 사춘기 시절을 겪으면서 아버지에 많은 반감을 품곤 했었다. 하지만 30대를 지나면서 느낀 것은 이해라는 것이었다. 누구에게나 인생은 처음이듯, 누구나 실수하고, 그러면서 배움이 있고, 뒤돌아 후회할 수 있는 것을 그 나이 즈음에는 깨달았다.

한 10살쯤이었을까?, 기존에 받는 용돈으로는 부족함을 많이 느꼈다. 더 많이 PC방과 오락실을 가고 싶어 하는 어린 철부지 아이였다. 몰래 아버지의 지갑에서 만원 씩 빼기 시작했고, 그 빈도는 점점 잦아졌다. 꼬리가 길면 잡히듯이, 나는 유력 용의선상에 올랐을 것이다.

이때 나는 동생과 아버지에게 불려갔고, 범인 색출이 아닌 왜 그래서는 안되는지와 앞으로는 그러지 말라는 이야기만 하셨다. 어리둥절한 동생과 초조했던 나, 부끄러움을 스스로 받아들인 뒤로, 꼬마 괴도 루팡은 더 이상 존재하지 않게 되었다.

앞에서 잠깐 얘기했던 내용처럼, 나는 사춘기를 강하게 겪었던 것 같다. 부정적인 생각이 먼저 들었고, 시도를 하는 것이 아니라 미리 포기해 버렸다. 대화조차 거부하는 나에게 어머니는 색다른 방법으로 다가오셨다. '포스트잇 붙이기'. 내 방과 화장실만을 오고 갈 때마다, 항상 응원의 메시지를 볼 수 있었다. 천천히 나의 마음을 열 수 있었고, 내가 지금과 같은 생각을 가질 수 있도록 밑거름이 되어주었던 거 같다. 스스로 부정적으로 생각하고 있다는 것을 자각시켰고, 군대에 입대하며 긍정적인 생각을 가지고 나오는 것을 자신과 약속했고, 이루어냈다. 젊으셨을 적에 어머니는 독서를 자주 하시곤 했던 것 같다. 특히 오래된 장롱 안에서 나는 어머니가 쓰신 오래된 글들을 보았다. 어떤 양식의 글이었는지는 기억이 나지 않지만, 우리 엄마에게도 이런 시절이 있었다고 생각했었다.

어찌 보면, 지금의 내게는 아버지의 끼와 어머니의 감성이 이어졌을 수도 있다. 우리 형제는 키가 큰 편이지만, 부모님의 키는 작으신 편이다. 그 어렵던 부모님의 어린 시절 환경에 의해 펼치지 못했던 많은 꿈이, 어쩌면 내가 오늘을 나아갈 수 있게 만들어 주는 것만 같다.

제6화 시작, 부푼 그 한 거름

'내 인생이야, 내 마음은 열린 고속도로와 같아'

Bonjovi 'It's my life'

속히 말하는 A형, 게다가 MBTI는 I형.

어릴 적 나는 발표는 물론, 어딘가를 나서는 것에 많은 부끄러움을 느끼곤 했었다. 초등학교 2학년 때였나? 내 생일인데, 생일 파티하러 가자는 말을 친구들에게 할 수가 없었다. 집에 가는 길에 딱 한 명한테만 간신히 말을 했었는지, 왜 이제야 말하냐면서 친구가 나를 우리 집으로 데리고 갔고, 조촐한 생일을 보낸 것 같다. 부모님도 걱정이 많으셨는지, 당시 유행하던 웅변학원을 보내 주시기도 했었다.

'이 열사는!! 외칩니다!!'

하지만, 나의 외침은 그곳에서 끝이었다.

내성적인 성격은 교우 관계에도 크게 영향을 끼치곤 했던 것 같다. 대학교에서도 먼저 다가가서 친해지기보다는 어쩌다 보니 그룹이 만들어지고, 어쩌다 보니 서로 인연이 되곤 했었다.

물론, 친해진 나의 모습은 말도 많고, 장난도 많이 친다.

오죽하면, 물어 빠져도 너는 입은 둥둥 떠다닐 거야. 라며, 선배들도 이야기하곤 했다.

이런 내가 변화하게 된 계기는 스스로 인정하며, 한 발자국 용기 내어 걸어본 것이었다. 나 홀로 경영학과 수업 들어보기가 그 첫 번째였던 것 같다. 매일 똑같은 수업과 사람들 속에서 새로운 변화를 경험하고자 했고, 이방인이 되어 보았다. 내 성향을 바꾸는 것이 목표가 아니었다. 단지 한걸음 스스로 직접 가보는 것이 하고 싶은 것이다. 그 후로 '무엇이든 일단 해보자'라는 것이 인생의 방향성이 되었다.

취업 면접을 준비하면서, 남들보다 긴장할 것을 스스로 인정했다. 그래서 나만의 이야기를 만들어 내고자 했다. 외국계 기업이다 보니 회사의 정보가 인터넷에 많이 없었고, 과거에는 기업 리뷰 앱이 존재하지 않았었다. 그 길로 무작정 서울 강남에 있는 영업 사무실로 찾아갔다.

"똑똑똑"

"저는 곧 이 회사 면접을 볼 예정입니다. 사전에 얻을 수 있는 자료가 많지 않아, 직접 회사 정보를 얻어내고자 방문했습니다."

직장인이 된 지금 생각하면 정말 아찔한 것 같다. 내가 일하고 있는데, 갑자기 누가 찾아와서 이렇게 행동한다면….

그때의 직원은 얼마나 황당했을까, 생각이 든다. 물론 나는 이 소재를 면접에서 당당히 사용했고, 이점이 됐는지 모르지만, 합격할 수 있었다.

모든 경험은 가야 할 방향을 만들어 주었고, 덩달아 후회의 슬픔도 주기도 했다. 고백하지 못했던 첫사랑의 연인처럼 말이다.

'그때는 왜 그랬을까?'

머릿속을 헤맨들, 답은 정해져 있다. 그때는 그때고, 지금은 지금이다. 단지 나는 그때 나의 행동들이 서투름에서 왔을 뿐, 다른 오해를 사지를 않길 바랄 뿐이다.

요즘의 나는 많은 사람 앞에서 노래를 부르는 것에 도전하고 있다. 연예인은 끼가 있어야 한다는 말처럼, 내 자신감은 충만하지만, 여전히 긴장감은 나를 감싸 버리곤 한다.

어릴 적 나라면, 하지도 않았을뿐더러, 1번의 부끄러운 경험에 도망쳤을 것이다. 그래도 지금은 될 때까지 도전하고 있고, 언젠간 즐길 수 있을 것으로 생각하고 있다.

누구에게나 첫걸음은 어려울 것이다. 하지만 걸음은 곧 거름이 되어, 언젠가 나의 꽃을 피워낼 것이라는 것을 믿는다.

제7화 바닥에 발을 딛고서야!

'녹이 슨 심장에, 쉼 없이 피는 꿈,

무모하대도 믿어 난'

윤하 '오르트구름'

너무 부끄러워서 숨고 싶은 순간, 멍해진 틈 사이로 기억이 사라져 버리곤 한다. 그리곤 허탈한 후유증만 남아, 이불 속에 푹 묻혀 버리고 만다.

영어를 처음 언어로 접했던 순간은 즐거움이었었다. 우연히 원어민 강사와 함께 어울릴 수 있던 기회가 있었고, 나아가다 보니 어느덧 지역 내 원어민 강사의 모임에 초대받기도 했었다.

활기 넘치던 청춘의 인연은 때론 다른 지역에서까지 이어지기도 하여, 놀랍기도 한 기억이 있다. 대학교 졸업 후, 나의 첫 직장은 청주라는 도시였다. 모든 것이 새롭고, 낯선 곳으로의 이동이었지만, 우연인지 한 원어민 친구도 새로운 직장을 구하여 이곳으로 이사한다고 했다. 이렇게 다시금 이어진 즐거움은 매주 금요일 '청주대학교' 앞으로 나를 이끌곤 했다. 새로운 곳에서의 또 다른 새로운 모임, 많이 부족한 영어 실력이지만, 흥에 취해 무엇이든 말하고자 했던 건 열정 덕분이었던 것 같다.

비록 다른 도시로의 이직으로 귀했던 만남은 끝맺음을 지었지만, 20대 중반의 나에게 영향이 되기도 한 것 같다.

하지만 어느 순간부터 즐겼던 영어가 아닌, 형식의 양식만이 일상에 남아버렸다. 즐거움이라는 거품은 하나둘 펑펑 사라져, 바닥을 들어내고 있었다. 스스로 바닥을 숨겨보고자 하니 점점 깊어져만 갔고, 그곳엔 더 이상 자신감은 없었다.

지난번 나 홀로 참석한, 영어 회의. 그곳에서 홀라당 벗겨져 버린 듯한 느낌을 받아버렸다. 내 이름을 부르는 누군가의 외침, 많은 인원 앞에서의 노출된 나의 부족함을 더 이상 외면하기는 어려울 것만 같다.

영어라는 언어는 세계 공용어이다 보니, 수많은 억양을 가지고 있다. 내 이름도 가끔은 '땡큐'와 유사한 발음으로 불리기도 한다. 나를 부른 줄 알았는데, 그것은 '쌩큐'. '고마워'인 줄 알았는데 그것은 나를 부르는 부름. 집중하지 않으면 알아채지 못하는 경계에 많이 당황한 적도 있었다.

그러다 보니, 굳이 정석의 영어일 필요는 없는 것만 같다.

'야 너도 할 수 있어'. 라는 조정석의 광고 대사처럼, 거품이 아닌 자신감이라는 내용물이 다시 한번 필요한 시점인 것 같다.

제8화 TBD(언젠가, 곧 결정될 것)

'왼손으로 그린 별 하나,

보이니 그 유일함이 얼마나 아름다운지'

IU 'Celebrity'

너의 장점은 무엇이니?

라는 말에 선뜩 자신 있게 무언가를 적을 수 없었다. 나의 대답은 아무것도 적히지 않은 빈칸이었고, 스스로 백지 같은 사람이라 말하곤 했다. 어릴 때부터 자기 객관화가 철저하리만큼 빨랐기 때문에, 어찌 보면 포기가 빠르고, 다르게 보면 임기응변에 능숙했던 것 같다.

그런 나에게도 자신 있게 장점이라고 내세울 수 있던 것들이 존재하던 시절이 있었다. 고등학교 시절, 역사에 대한 지식만큼은 누구보다 자신 있었다. 시험 기간이 되면, 이과 우등생이었던 친구와 거래했다. 서로가 자신 없는 과학과 역사의 영역을 족집게 과외를 해주며, 지식의 공유를 거창하게 하며 뽐내었었다. 내가 집어준 곳에서 시험 문제가 나왔을 때의 희열감은 감히 말할 수 없었던 것 같다,

지금에 와서는 딱히 장점이 되진 않지만, 그때 잠시나마 빛났던 내가, 이후 삶의 시각에 많은 변화를 준 것 같기도 하다. '역사는 반복된다'라는 말을 믿는다. 우리나라의 근현대사부터 지금에 이르기까지 많은 시대의 연결이 있었다. 세상 돌아가는 일에 관심이 많은 20대에도 뉴스 보는 것을 좋아했다. 지금 당장 우리의 삶에 영향을 주진 않지만, 분명 어느 순간 우리에게 좋든 싫든 체감해주게 해준 것 같았다. 그렇게 20대 중반의 젊은이로서 정치적이며, 한쪽으로 많이 편향되어 있던 시민 중의 한 명이기도 했었다. 나의 시선으로 다른 이의 시각을 변화시킬 수 없다는 것을 깨달은 순간부터는 어느 정도 스스로 균형도 잡을 수 있었다. 그런데도 역사적 시선으로 세상을 바라보는 것은 여전히 존재했다.

최근 서울의 봄이라는 영화를 보았다. 완벽했던 영화임에도 실화라는 사실만이 단점이 되는 오랜만에 감정을 날카롭게 만드는 영화였다. 남산의 부장들에서 1987로 이어지는 중간 지점에 이제는 서울의 봄을 포함할 수 있을 것만 같다. 결말을 바꿀 수는 없었을 것

이다. 서울의 봄은 오지 않았고, 영화는 눈 내리는 겨울에 시나리오가 막을 내렸다. 만일 이 영화가 좋게 끝났다면, 1987이라는 영화도 나오지 못했을 것이다. 물론 민주화의 바람에도 현실의 봄은 쉽게 오지 않았다. 제13대 대통령 노태우, 김영삼 대통령의 3당 합당은 여전히 우리의 삶에 이어지고 있다. 군사 정권은 검찰 정권으로 바뀌었고, 당분간 천공의 하늘 아래 지속해서 비가 내리긴 할 것 같다. '그래도 봄은 오겠지?'라며 오늘도 여전히 생각한다.

이렇듯 세상일에 관심이 많은 나의 시작은 고등학교 시절의 내 장점에서 비롯되었다. 단순히 비유하자면 그때의 점은 지금의 점과 이어졌을 것이고, 마치 별자리와 같이 내 기억 속에서 서로를 빛내고 있을 것만 같다. 하얀 백 도화지의 장점 안에 자세히 보아야 보이는 나만의 별자리들.

제9화 소문의 거리

'말 없는 넌 뭘 위해,
손가락만 바쁘네'
가리온 '소문의 거리'

임금님 귀는 당나귀 귀, 발 없는 말이 천 리 간다. 인류의 역사에는 공통점이 있다. '사람 사는 거 다 똑같다.' 시대와 상관없이 속담은 현실에서도 적용된다.

비트코인 붐이 일던 시절에, 회사 후배는 투자 비용 대비 10배의 수익을 만들어 냈다. 매일 점심 산책에서 그날의 코인 지표는 수다 덩어리이기도 했다. 그리고 어느 순간 소문이 돌기 시작했다. 우리 팀에 코인으로 대박 난 사람이 있고, 몇억을 벌었다는 이야기였다. 한 차장님은 누구냐며 우리에 묻곤 했는데, 우린 도리어 누구한테 들었는지 묻곤 했다. 아마도 여기저기 꼬리를 탄 이야기는 소문이 되어 점점 부풀어 오른 것만 같았다. 사실 10배는 맞지만, 가상화폐 단위가 0.00001이었던 것으로 기억한다. 실제 비용으로 수익을 환산하자면 아주 소박했고, 단지 재밌는 요깃거리에 불가했었다. 아마도 누군가 문득 지나가듯이 흘려들은 말은 그렇게 다시 우리를 지나갔다.

가끔 주변을 돌아보면 말이 너무 가벼운 사람들을 보곤 한다. 실제로 내가 누군가에게 한 말이 실시간으로 다른 사람에게 두 번 전달되어 나에게 오는 경우가 있었다. 오는 말에 가는 말을 보내니, 다시 중간의 전달자들끼리 실시간으로 얘기가 오고 갔다. 그래서 그런지 나는 평소에도 말을 최대한 아끼곤 했다. 특히 내 이야기가 아닌 것은 최대한 조심하고, 이야기할 때를 기다리곤 한다. 사람인지라, 입이 간질간질할 때가 많이 있지만, 말이 간 이후부터는 더 이상 멈출 수 있는 권한은 나에게 없기 때문이다.

특히, 요즘과 같은 IT 시대에서 인터넷은 정보의 바다이다. 여기저기서 쉽게 유리병 편지를 찾을 수 있고, 원한다면 주제에 맞게끔 선별하여 받을 수도 있다. 그리고 무엇보다 알고리즘이라는 것이 내가 찾기도 전에, 먼저 이쁘게 포장된 유리병 편지를 인도하기도 한다. 만일 편지의 내용에 내가 좋은 반응을 보인다면, 알고리즘은 더 자극적이고, 많은 양의 유리병을 나에게 파도와 함께 흘려보낸다. 문제는 여기서부터 발생이 되곤 한다.

누군가 의도적으로 보낸 편지들이, 점점 누적되고, 점차 그것들이 진실로서 자리 잡게 된다. 이렇게 50가지의 거짓말은 500명이 넘는 사람들을 매혹할 수 있는 치명적인 매력을 가지고 있다.

그래서 언제부턴가 알고리즘의 추천을 보지 않으려 노력한다. 과거 민간요법보다 더한 것들이, 필터링 없이 여기저기 파도 위로 쓸려오며, 사회를 병들게 하는 것만 같았다.

가끔 대중교통을 타다 보면, 신세대의 어르신이신 만큼 공유되는 영상을 보시는 모습을 볼 수 있다. 대충 보기에도 자극적이고, 포장된 이야기들이 거침없이 흘러가고 있었다.

사실 번거로운 작업 없이, 어떤 것보다 편하고 맛있는 이야기를 주는 알고리즘을 거부하실 순 없을 것이다. 이쯤 되면 현대 정보사회의 배신인지, 단지 내가 비판적인 악플러인 것인지, 점차 나조차 헷갈린다.

To. 시선에게 보내는 편지 - ..당신은 누군가요?

교보문고에 방문했을 적, 이름 모를 책 한권이 베스트 서적 위에 무심코 올려져 있었습니다. 호기심으로 잠시 읽어봤고, 무심코 구매를 하게 되었습니다. 아마 누군가 의도적으로 올려뒀을 거란 생각들만큼 동떨어진 위치였지만, 우연으로 저에게 왔고, 한권의 양식이 되어줬습니다. 이 책을 읽을 당신에게도 그런 우연이 다가갔기를 바랍니다.

어쩌면 스쳐 지나갔을 인연일지도 모르는 당신에게도 궁금한 것이 많습니다. 책을 좋아한다는 것은 글자란 매개체로 감정을 공유할 수 있다는 것인 만큼, 이름 모를 저의 부족하고도 가벼운 시작이 당신에게도 와닿기를 바랍니다.

그리고 어디선가 새로운 인연으로 당신을 알 수 있길 기대합니다.

인연과 만남에 대해 생각해 보았어요.

아주아주 큰 숫자 8을 상상해 봐요. 그냥 큰 정도가 아니라, 지구만큼 크게. 그 길을 따라 반대로 걷고 있는 당신과 내가 우연히 만날 확률은 얼마나 될까요.

당신을 만나기 위해 저는 동그라미 두 개가 맞닿은 그 지점에서 가만히 기다리기로 했어요. 이 페이지만 넘기면 당신과 내가 만나는 그 지점이에요. 읽히는 기쁨을 선사해 주어서 감사해요.

부디 보물처럼 귀하고, 편안한 시간이 되기를 바랄게요.

KIM HYUN KI

Kim Hyunki

김 현 기

사계. 겨울, 봄, 여름, 가을

겨울

1. 사랑에 빠지다.

'사랑에 빠지다.' 우리가 평소 흔하게 사용하는 어휘들을 진지하게 떠올려보면 쉽게 이해되지 않는 말들이 있다. '빠지다.'는 특별할 것 없는 동사다. 그러나 여기에 '사랑'이 결합하면 조금 혼란스럽다.

바다, 호수, 강, 늪, 모래밭 등등 우리가 빠질 수 있는 많은 곳을 생각해 봐도 그중에 '사랑'이 들어 있는 건 어색하다. '함정','슬픔'처럼 부정적인 어휘와 결합한다면 이해가 된다. '빠지다.'가 유쾌한 행위를 상정한 말은 아닌 것 같다. 처음으로 사랑과 '빠지다.'를 결합하여 사용한 사람은 과연 어떤 감정을 느꼈기에 그런 말을 썼을까.

대상이 무엇이든 빠지게 되면 모든 것을 지배당한다. '물에 빠진다.' , '늪에 빠진다.'를 상상해보면 쉽다. 숨도 쉬기 힘들고, 그곳을 빠져나오지 못한다면 목숨까지 위협받게 된다. 최소한 엄마한테 혼나는 상황 정도는 발생 된다. 육체와 정신이 지배당하고 빠져나오기 위해서는 꽤 노력이 필요하다. 그러고 보면 '사랑에 빠지다.'라는 표현은 상당히 적절해 보인다.

아무리 바보라도 물에 빠지는 순간을 모르는 이는 없다. 그러나 사랑에 빠지는 순간은 아예 모르거나, 스스로 부정하거나, 자기만 모르거나 하는 상황들이 흔하게 생긴다. 발목 정도 빠져있다고 생각했는데 알고 보니 턱밑까지 아주 푹 빠져있는 일도 있다. 그곳이 천국이기를 바라지만 지옥 되는 일도 허다하다.

어떻게 보면 '사랑'은 삶의 곳곳에 설치된 함정 같다. 예측할 수 없다. 갑작스럽게 사고를 당하듯이 사랑을 마주하게 된다. 적절한 사람과 적절한 의지에 따라 만난다 해도 그것이 행복으로 이어진다는 보장도 없다. 이렇게 보면 사랑은 인생에 도움은커녕 상처만 받게 되는 피해야 할 대상처럼 생각될 때도 있다.

종종 나 스스로 되뇌고, 남들에게도 하는 말이 있다.

"그래서 사랑하지 않을 방법이 있어?"

우리는 사랑이 찾아온다고 해도 그것을 막아낼 방도가 없다. 함정처럼 눈앞에 사랑을 마주 할 때 빠지지 않고 그것을 피해 갈 방법은 없다. 그 순간을 외면한다 해도 결국에는 더 크고 깊어진 웅덩이만 마주할 뿐이다. 빠지는 수밖에 없다.

개인적으로는 '사랑에 빠지다.' 보다 '사랑이 찾아왔다.'라는 표현을 좋아한다. 갑작스레 놀라는 것을 싫어하는 성향 탓이기는 하지만 '사랑'이라는 고운 어휘에는 상냥해 보이는 '찾아왔다.' 랑 결합하는 것이 더 좋다.

얼마 전 첫눈 소식에 새벽녘까지 잠을 뒤척인 적이 있다. 눈과 비 모두 좋아하지만, 눈은 좀 더 까다롭다. 요란한 소리 없이 아주 조용히 찾아온다. 구름이 가득한 겨울밤이 찾아오면 혹시나 하는 마음에 자주 창문을 여닫는다. 고개를 쭉 빼고 가로등 아래 눈송이 몇 개라도 내릴까 싶어 두리번거린다. 사랑이 찾아오는 순간은 눈을 기다리는 마음과 비슷하다.

사랑은 언제 찾아올지 모른다. 요란하게 찾아올 수도 있지만, 아마도 조용하게 찾아오는 경우가 더 많은 것 같다. 사랑에 빠져 허둥거리기 전에 먼저 알아차리는 수밖에 없다. 사실, 알아차린다고 해도 어쩔 도리가 있는 것은 아니지만.

2. 대설주의보

'긴 터널을 지나니 설국이었다.' 끝내 읽지도 못했으면서 뻔뻔하게 첫 문장은 기억하고 있다. 그마저도 '아, 이게 아니었나' 싶지만 어쨌든 겨울이 올 때마다 읽어야지 하면서도 결국 몇 장 읽지도 않고 책장에 꽂아둔 채 봄을 맞이하는 게 몇 년째다.

최대한 그럴싸하게 포장하자면 '겨울 나라에 미련 한 권쯤은 남겨두고 싶다.'라고 말하고 싶다. 핑곗거리를 담당하는 뇌의 어느 부분은 얼어붙지 않았나 보다.

내가 겨울이 좋은 이유는 세 가지다. 귤, 모직 코트, 눈. 당당하게 '눈이 좋다.'라고 고백하기 힘든 나이가 된 지 벌써 20년은 넘었다. 성격 탓이겠지만, 한 살씩 나이가 들수록 좋아하는 것과 싫어하는 것을 드러내는 일이 어렵다.

몇 년 사이 눈 구경하기 힘든 마른 겨울을 보냈다. 습기를 가득 머금은 차가운 공기가 몸속으로 들어오는 상쾌한 기분도, 두근거리며 아침에 창문을 열었을 때 함박눈이 내리는 풍경도, 새벽녘 아무도 밟지 않은 하얀 눈밭을 뽀득거리며 노니는 일도 없었다. 무덤덤한 표정으로 눈길을 걸으면서도 가끔 한 발자국씩 눈이 잔뜩 쌓인 곳을 굳이 밟고 지나가는 다 큰 어른들의 귀여운 모습도 볼 일이 없었다.

'타인', '용서', '보석', '사랑에 빠지다.' 요즘 내가 좋아하는 어휘들이 예고도 없이 불쑥불쑥 찾아온다. '대설주의보' 이것도 내가 좋아하는 말이다. '대설'을 뺀 '주의보'라는 말도 좋다.

"조금 위험할 것 같긴 한데, 확실하지는 않아요. 그러니까 조심해요." 이런 뜻이라고 생각해보면 우리는 본래 서로가 서로에게 얼마나 상냥한 존재인지를 느낄 수 있다.

'대설주의보'를 좋아하긴 하지만, 눈 구경이 귀한 겨울을 보내며 심드렁해진 마음을 다시 설레게 하기에는 설득력이 부족했다. 그러나. 그러나. 그러나.

1주일 사이 두 번이나 대설주의보가 내렸다. 취향이 소소한 사람에게는 기적도 의외로 쉽게 다가온다. 첫눈은 그렇게 얄궂게 내렸으면서 요 며칠 사이에 두 번이나 함박눈이 펑펑 쏟아졌다.

"눈이 많이 내렸으니 일찍 퇴근하세요." 함박눈은 실장님도 선녀님으로 만들었다.

지하주차장을 지나니 설국이었다. 검은 아스팔트 바닥이 하얘졌다. 부지런한 제설차가 다니는 고속도로 대신 국도로 들어섰다. 마음껏 부족함 없이, 여운 없이 즐거움을 누렸다. 트렁크에 포장도 뜯지 못한 눈 오리, 눈 곰돌이 집게가 유혹했지만, 차마 꺼내지 못했다. 아직은 꺼내지 못했다. 아직은.

싫어하는 감정은 이유가 명확하고 이성적이다. 좋아하는 감정은 이유도 두리뭉실하고 약간 맛이 가 있다. 작년 겨울만 해도 눈이 보고 싶어서 평일 밤늦게 대관령을 다녀왔다. 한 세 번쯤. '눈 구경 하겠다고 거기에 가?' 하겠지만, 좋아하면 간다.

싫은 것은 배척하고 회피하며 평안을 얻는다. 좋아하는 것은 찾아가서 마주하며 행복을 얻는다. 나는 요즘 좋아하는 것을 찾고 있다. 눈, 밥, 빵, 너, 나, 시처럼 외자로 된 좋아하는 어휘에 대해 생각하는 일, 충남 공주에 있는 마음 고운 늙은 시인의 집을 찾아가는 일. 눈 쌓인 골목을 바라보며 좋아하는 것에 둘러싸여 좋아할 일을 고민하는 일. 어느 것 하나 부족함 없는 감사한 겨울의 복판을 지난다.

봄

3. 고향, 그리움

엄마와 아버지, 그리고 나의 고향은 같은 곳이다. 어머니의 고향은 조금 떨어져 있긴 하다. 친가가 있는 마을에서 얕은 냇가를 건너면 외가가 있다. 어쨌든 소리치면 들리는 거리쯤이니 같은 곳이라고 해도 될 법하다. 고향이 그리울 나이는 아니다. 아주 어릴 적 상경한 덕에 고향에 대한 향수도 없다.

딱히 되돌아가야 할 곳이라고 생각하는 것도 아니다. 난 도시가 좋다. '고향'이라는 어휘를 들었을 때 떠오른 감정이 미묘했다. 그리움에 가깝기는 하지만, 그 대상이 불분명했다. 마을이나 장소에 대한 좋은 기억이 없는 것은 아니지만 따지고 보면 그곳보다 더 좋은 기억을 남긴 장소들이 많다.

고향의 '향'은 시골 향(鄕) 이다. 분명 공간을 의미하는 어휘다. 그렇다면 내 그리움에 가까운 감정이 공간을 의미하는 것이 아니라면 무엇을 향하는 것일까. 이 질문 하나로 몇 날을 삶아 먹었다.

설 다음 날. 나는 그 고향으로 향했다. 외할머니는 아직 그곳에 살고 계신다. 아주 오래된 기억을 더듬어 봐도 외가에는 언제나 동물이 있었다. 개, 닭, 소, 토끼까지. 이제는 꼬리 끝이 까만 고양이 한 마리만 남아있다. 반겨주는 것도 아니고, 도망가는 것도 아니고 멀뚱멀뚱 쳐다만 보는 나비를 지나 외가로 들어갔다.

"우리 손주 왔나."

내 나이가 올해 불혹이다. 그래도 '우리 손주' 다. 게다가 세뱃돈까지 받았다. 빳빳한 새 돈이다. 분명 설 한참 전에 읍내 농협에서 바꿔 놓으셨을 것이다. 저녁 무렵. 잠시 마을을 둘러봤다. 냇가며 과수원, 산자락, 논두렁 눈에 보이는 거의 모든 곳에 나의 어린 시절 발자국이 찍혀있다. 새초롬하게 눈길을 거두었다. 다시 생각해도 그리움의 대상은 공간이 아닌 것 같았다. 엄마의 전화를 받고 외갓집으로 돌아가 저녁상을 마주 앉았다.

"더 무라. 마이무라."

나는 입이 짧다. 분명 외할머니의 성에 차게 먹지 못한다. 그 말을 듣고 작년의 일이 떠올랐다. 정확히 작년 이맘때 할머니가 돌아가셨다. 연세도 많으셨고, 호상이었다. 할머니의 음식솜씨는 최악이었다. 갑자기 흉을 보는 게 이상하지만, 들어보면 이해가 될 것이다. 어린 시절 방학에 시골에 놀러 가면 주로 라면을 끓여 먹었다. 할머니는 엄청나게 짜고 비린 김치와 죽에 더 가까운 밥을 한 양푼 내놓으셨다. 그나마 할아버지는 먹는 투정을 상스럽게 보셨던 분이라 주는 대로 드셨으니 다행이다.

아무튼, 할머니의 장례를 치르는 동안 밥을 굉장히 잘 챙겨 먹었다. 장례의 주인은 망인이니, 그 밥도 망인이 대접해 주는 것이라는 이야기를 어렴풋하게 들은 기억이 났다. '마지막'이라는 마음이 들어 열심히 먹었다. 끼니마다 쌀밥이며, 육개장이며, 두 그릇씩 가득 담아 먹었다. 할머니는 평생 내가 그렇게 많이 먹는 모습을 보지 못했을 테다. 그 덕에 삼일장이 끝났을 때 난 살이 쪘다. 그리고 외할머니도 같은 말을 하셨다.

"더 무라."

고향이 공간을 의미하는 말이긴 하지만, 아마도 그리움에 가까운 그 감정은 고향 그 자체가 아닌 그 속에 살았던 사람이었나 보다. 『상실의 시대』에 내가 좋아하는 문장이 있다.

'나는 머리가 나빠서 무슨 일이든 문장으로 써야만 이해할 수 있는 사람이다.' 나도 그것과 비슷하다. 이렇게 단순한 문제도 문장으로 써야 답이 나온다. 공간쯤이야 별 의미가 없다. 그 안에 사는, 살았던 사람들과의 기억들이 그리움과 향수를 만드는 것은 아닐까.

4. 자리

우리는 자리나 이름 없이 떠도는 모든 것들을 가여워한다. 사람이든, 사물이든, 하물며 날씨에도 이름을 붙인다. 따스한 봄바람이 불어오기 시작할 무렵 이따금 불어오는 찬 바람에게 '꽃샘바람'이라는 이름을 지어주었다. 꽃을 샘내는 바람이라니, 우리는 이토록 다정하며, 서정적이다. 손톱만큼이라도 정(情)이 붙으면 이름을 붙인다.

살아가다 보면 자리 잃은 감정을 이따금 마주한다. 대상을 잃어버린 사랑이라던가, 공유할 곳 없는 기억들. 자리 없이 마음 한 귀퉁이를 떠돌기에는 너무 예쁜 감정이다. 마땅한 자리를 찾으면 좋겠지만, 그게 참 어렵다.

애초에 자리가 없는 또는 자리를 잃어버린 마음들을 모아두는 고운 상자를 하나 만들고 싶다. 언제 꺼내 볼지, 어쩌면 평생을 꺼내 보지 않을 수도 있겠지만, 그렇다 해도 그 예쁜 것들을 정처 없이 떠돌게 하기는 싫다.

어찌나, 고맙고 고운 감정들인지.

5. 기차역

직선으로 쭉 뻗은 고속도로를 벗어났다. 고속도로는 빠르고 편리한 것이 딱 도시를 닮았다. 그에 비해 시골의 모든 것은 굽어있다. 도로는 말할 것도 없고, 오래된 사과나무, 꼬불꼬불한 밭두렁, 심지어 슬렁슬렁 걷는 할머니들의 등도 굽어있다.

동장군의 기운이 많이 쇠한 어느 계절. 산등성이 나무 밑 응달에 겨우 한 줌도 안되는 눈(雪)을 미련처럼 남겨둔 어느 계절에 나는 고속도로를 벗어나, 불편하고, 구불구불하고, 느린 시골길로 향했다.

높은 언덕을 넘기 전. 이정표 하나가 눈에 들어왔다. 한껏 녹이 슬고, 귀퉁이는 떨어져서 바람이 불 때마다 을씨년스럽게 흔들리고 있었다. '죽령역' 애초에 정상적인 역도 아닌 '간이역'이었다. 그곳은 간이역 조차도 호사스러운 동네였나보다.

여러 해 전에 죽령역은 폐역이 되었다. 꽤 여러 번 그 길 지나다녔지만, 딱히 들어가 볼 생각은 없었다. 폐역이 된 건 오래 전인데, 무슨 바람이 불었는지, 이제야 뒤늦은 조문객처럼 이정표를 따라 들어갔다. 이정표의 모양새는 엉망이었지만, 그 역할에는 충실했다. 이윽고 기차역이 보였다.

그곳의 마지막 역장은 억지스럽더라도 화사함을 뽐내고 싶었는지, 분홍색으로 외벽 칠해 놓았다. 시커먼 뾰족지붕과는 전혀 어울리지 않았다. 아무튼, 작은 역 앞에 차를 주차했다.

선로 자체가 폐선되었는지, 자유롭게 낡은 승강장과 기찻길을 노닐었다. 승강장 의자에는 잡초가 무성하게 자라나 있었다. 문득 마을 입구에서 마주한 잔뜩 허리가 굽은 할머니가 생각났다.

아마도 50년은 훨씬 넘었을 옛날의 어느 봄날. 처녀 보다는 소녀에 더 가까웠을 새댁의 모습을 상상해 보았다. 보퉁이 하나를 소중하게 끌어안고 완행열차에서 내려 산골 마을을 내려다보는 장면이 떠올랐다. 벚꽃 마냥 볼이 발그레했을 고운 새댁은 이제 자신이 터를 잡은 산골의 도로 모양처럼 허리가 굽었다. 두근거림과 막막함 그 중간쯤의 심정으로 내렸을 기차역은 폐쇄된지 오래다.

녹이 슬어버린 채 겨우 덜렁거리며 매달려 있는 이정표, 사람도 기차도 오지 않는 오래된 작은 시골 기차역, 밭두렁에 아무렇게나 버려진 사과처럼 잔뜩 주름진 할머니. 이 산골 마을에 있는 모든 오래된 이들은 이제야 호젓한 시간을 보내고 있지만, 사실 치열하게 자신의 몫을 다했을 것이다. 그렇게 생각하니 폐역이 마냥 쓸쓸해 보이지 않았다.

'몫을 다한다.' 때가 되었을 때 의연하게 물러나기 위한 준비는 그것이 아닌가 싶다. 보통 이런 생각을 하게 되면 나태하게 살아온 시간을 후회하며 자신을 돌아보는게 정상이겠지만, 나는 뻔뻔하게 등을 돌려 차로 돌아갔다.

차에 타려는 순간. 바지와 가디건에 족히 100개는 넘어 보이는 도깨비 풀이 잔뜩 붙어있었다. 폐쇄된 산골 기차역 한 귀퉁이에서 담요를 치마처럼 두르고 바지를 벗어 도깨비풀을 떼어냈다. 그래, 어째 너무 순탄하고 평화롭다 했다.

여름

6. 열정

아침 출근길 제법 눅진한 안개가 짙게 내려 앉아있었다. 커다란 뭉게구름 한 덩이가 통째로 땅에 내려앉은 모양새 같았다. 그 농도가 너무 짙어 자동차가 늪에 빠진 것처럼 움직임이 둔하다는 느낌마저 들었다. 사실 그렇게 대단해 보여도 안개는 안개다. 태양이 조금만 더 높이 떠오르면 사라져 버릴 것이다. 마치 열정처럼.

열정과 노력이 같은 말인지 생각해봤다. '목적이 있는 행위'라는 측면에서 보면 같은 말 같지만, 노력은 짙고 냉정한 파란색이라면 열정은 약간 맛이 간 빨간색 같다.

'열정이 보이지 않는다.' 어릴 때부터 자주 듣던 말이다. 나에게 '노력'은 어려운 것이 아니었지만, '열정적인 노력' 이건 정말 어려운 일이다.

공부든, 사랑이든, 취미든, 일이든 요란하게 하는 것이 싫고, 부담스럽다. 그래서 '열정적인 척'하지 않아도 되는 혼자 하는 것들을 좋아한다. 나는 촛불을 들고 있는데, 갑자기 양손에 횃불을 들고 뛰어오는 사람이 있으면 사실 좀 무섭고 부담스럽다.

'OO이 없다면/못한다면, 차라리 날 죽여라.'

열정을 직설적으로 증명하는 것은 아이러니하게도 결핍이다. 그래도 살아서 다른 길을 찾아보는 게 좋지 않을까. 라는 생각이 들지만, 어쨌든 열정을 표현하자면 그렇다.

몇몇 사람들이 열정이라고 강하게 주장했던 것은 태양이 아니라 금방 사라져 버리는 아침 안개였다는 것을 여러 번 경험한 뒤 지나치게 열정적인 사람은 믿지 않게 되었다.

그 사람들이 딱히 나쁘다는 게 아니라, 에너지라는 건 반드시 고갈되기 마련이다. 양손에 횃불을 들고 있다 한들 10여분이 지나면 금방 불은 사그라진다.

어쩌면 '미치도록 좋은' 그것을 경험해 보지 못한 질투일 수도 있다. 그래도 나는 불판 위에 고기를 익히는 건 불꽃이 아니라 은은한 숯이라 것을 알고 있다. 그렇게 은은하게 미쳐있는 것이 좋다.

7. 수박

'퉁퉁'

마트 한곳을 가득 채운 수박들 사이를 거닐면서 짐짓 진지한 표정으로 수박을 두드려 보지만, 사실 쥐뿔도 모른다. 듣기로야 줄무늬가 어떻고, 두드렸을 때 소리가 어떻고, 또 누구는 표면에 하얀 가루가 붙은 것들이 좋다고 한다.

잘 익은 수박을 귀신같이 골라내는 요령은 주부들의 은근한 자부심이다. 그런데 설명을 들어보면 '정보'라기보다 느낌이나 직감에 가깝다.

우리 엄마만 해도 '요래요래 공부 잘하는 애 머리통같이 생긴'

수박이 잘 익은 수박이라고 한다. 공부 잘하는 애 머리통 같은 수박이 뭔지는 나도 모른다. 아무튼 그런 요령들도 그저 좋은 수박일 확률이 높다는 뜻이지 보장한다는 뜻은 아니다.

'찌걱'

소리가 이상하다. 달고 잘 익은 수박을 자를 때 나는 청량하고 시원한 '쩍' 소리가 아니다. 칼날이 들어가는 느낌도 이상했다. 잘 익은 수박의 껍질은 칼날이 스치기만 해도 탱탱하게 당겨진 고무줄이 끊어지듯 우악스럽게 쩍하고 갈라진다. 그런데 이 수박은 뭔가 고개를 갸우뚱하게 만든다. '아닐거야' 고작 수박 하나 자르는데 마음이 아련해진다. 붉은 속살 가운데 부분이 희끄무레하다. 씨도 덜 자란 것인지 길고 하얗다. 올해 첫 수박은 망했다.

살림하는 사람입장에서 '너희 집 김치/김밥 맛없어.'처럼 굉장히 수치스럽고 자존심 상하는 것이 있다. 그리고 여름의 자부심은 당연코 '잘 고른 수박'이다. 혼자이긴 해도 나름 10년 넘게 살림을 했는데, 이 잘못 고른 수박은 상당히 치욕스럽다.

허망함과 헛헛함, 분노가 회반죽 되어 휩쓸고 지나갔다. 너무 이르게 나와 마주해버린 수박은 아무런 잘못이 없다. 알맞은 시간에 인연이 닿았다면 우리는 분명 아름다웠을 것이다.

반듯한 스테인레스통이 눈에 들어왔다. 예쁘게 깍뚝 썰어 통에 담아 보관하고 싶었다. 냉장고에 넣어둔 뒤 무척이나 덥고 습한 밤이 찾아오면 이가 시리도록 시원하고 달콤한 수박을 먹으려 했다. 여름날의 꿈은 아름답고, 짧고, 아련하며, 어리석다.

수박의 여름은 뜨거웠을 것이다. 그것이 고통스럽다 해도 포기할 생각은 없었을 테다. 다만 조금 더뎠다. 씨앗일 때부터 달랐던 것인지, 아니면 그 수박이 뿌리 내린 자리가 하필 운이 나쁘게 억척스러운 땅이었던 것인지 웃자라버렸다. 농부는 그것을 알아차리지 못했다. 단, 얼마만의 시간이라도 더 있었다면 우리의 만남은 이것과는 달랐겠지. 수박의 사연을 이해하자 생각하며 음식물쓰레기 봉투와 칼을 양손에 쥐고 미련없이 떠나보냈다.

8. 바다

욕구는 행동을 지배한다. 멍청한 짓이나 부질없는 짓들은 보통 욕구에서 비롯한다. 아, 내 이야기다. 남들이 그렇다는 건 아니고. 하나마나한 말이지만, 남에게 피해를 준다거나, 경찰을 만나게 되는 일은 없었다.

식욕, 성욕, 수면욕을 3대 욕구라고 했던 것 같다. 여기에 더해 나의 행동을 지배하는 아주 특별한 욕구가 있다.

'보고 싶은 욕구'

눈이 보고 싶어 한밤중에 대관령을 가는 것도, 은하수가 보고 싶어 정선과 안반데기를 가는 것도 '굳이 왜?'라는 물음을 불러오는 멍청한 행동이다. 그런데 나는 내 눈으로 보지 않고는 못 배긴다.

제법 여름 향기가 진해질 무렵. 한가지 생각이 솟구쳤다.

태평양이 보고 싶었다. 원체 바다를 좋아하긴 했지만, 그래봤자 서해, 크게 마음먹으면 동해 정도였다. 많은 이들이 동남아를 월미도 가듯이 가는 세상이지만, 나는 가보지 못했다. 딱히 가고 싶은 생각도 들지 않았다. '관광지 싫어 병' 탓인 것 같다. 그리고 내가 보고 싶은 그 태평양이 아니었다.

가까운 곳에 아주 근사한 태평양을 가진 나라가 있다. '일본'

나처럼 몸에 지방을 많이 보유하고 있는 사람들은 추위에 강하고 더위와 습기에 약하다. "주의사항 - 여름에는 서늘하고 건조한 곳에 보관하세요." 마트에서 장을 보다가 이런 문구를 보면 내 이야기를 하는가 싶어서 움찔한다. 그런데 한여름 도쿄라는 미친 결심을 했다. 태평양이 보고 싶어서. 아, 일본어는 인사와 사과정도만 할 줄 안다.

혼자 사는 사람에게 새벽 비행기는 별것도 아닌데 서럽다. 대중교통을 이용하면 늦고, 차를 가져가기에는 7박 8일이라는 일정이 부담스러웠다. 태워다 줄 사람도 없는데 별수 있나. 막차를 타고 공항에 도착한 뒤 노숙을 했다. 인천공항은 쾌적하고, 편안했다고 생각했는데, 그건 1, 2시간 머물 때 이야기지 밤샘은 전혀 달랐다. 돌이켜 보면 부끄럼쟁이 내향인이 사람들이 지나다니는 곳에서 편하게 드러누울 수 있다는 생각부터가 이미 크게 잘못된 것이었는데, 그런 결정을 한 거 보면 꽤나 두근거렸었나 보다.

가방을 끌고 지하 1층 기도실 앞에 자리 잡았다. 묘하게 경사져 있는 나무 의자는 채 10분도 누워있기 힘들었다. 영겁 같은 불편한 밤이 지나고, 스물스물 동쪽하늘이 밝아질 때쯤 드디어 비행기에 몸을 실었다.

다음 날. 도쿄 도심에서 2시간 정도 떨어진 작은 도시에서 태평양으로 향하는 두 칸짜리 시골 열차에 올랐다. 옛날 수원 사람들은 수인선 '협궤열차'를 기억하고 있을 것이다. 선로를 따라 왼쪽 오른쪽으로 꿀렁꿀렁하는 그 열차와 매우 흡사했다. 이누보역은 다정했다. 별 것 없는 시골역이지만, 나에게는 신주쿠역이나 시부야역보다 마음에 들었다. 워낙 작은 역이다 보니 길 잃을 일이 없어서 그랬던 것 같다. 그곳에서 멀지 않은 곳에 태평양을 향해 비추는 등대가 있었다.

바닷바람이 느껴졌다. 축축하고 소금기를 머금은 약간 비릿한 바람이 불었다. 멀지 않은 곳에 바다가 있었고, 그 바다는 태평양이다. 낮은 언덕 위에 우뚝 솟은 하얀 등대가 보였다.

'이어져 있다.' 바다는 땅과 달라서 외진 곳이든, 먼 곳이든 상관없이 이어져 있다. 등대 위에서 바라본 태평양은 우리나라 동해바다와 별반 다르지 않았다. 다만, 이어져 있다. 바다 건너 안부를 전하면 닿을 수 있을 듯했다.

마음 아주 깊은 곳이 서늘해졌다. 계절에 맞지 않는 서늘하고 쓸쓸한 냄새를 품은 바람이 부는 듯했다.

어렴풋하게 예상했지만, 막상 태평양을 마주하니, 확신이 들었다. 태평양 건너에 있는 누군가를 보고 싶었구나, 그리워했었구나. 거리로 보면 고작해야 한 뼘 만큼 가깝게 다가갔을 뿐이지만, 그래도 바다만 하나 건너면 안부가 전해질 만큼은 이어져 있다는 생각이 들었다.

바쁘게 사느라, 이런저런 재밌는 것들이 많아서 외면했던 그리움을 마무리하고 싶었다. 15년이 훌쩍 지나서 태평양을 사이에 두고 안부를 전했다.

'많이, 아주 많이 그리웠습니다. 미안하고, 고맙습니다.'

등 뒤로 해가 질 때까지 태평양을 바라봤다. 착각인지, 착시인지 멀리 보이는 수평선이 둥글게 보였다.

안부가, 인사가 닿을 수도 있겠다는 생각을 할 만큼 나와 그 사람 사이에는 아무것도 없었다. 단지, 바다만 있을 뿐이다. 아주 옅은 미소를 지으며 안부를 전했다.

가을

10. 살을 찌우자

처서가 지나자 밤공기가 곧장 달라졌다. 아직 8월인데, 창문을 열자 시원한 바람이 밀려들었다. 가을은 라면 한 그릇도 맛있는 계절이다. 더위에 사라진 입맛이 돌아왔다고 말하기에는 여름에도 꽤 맛있게 잘 먹었다. 그냥 가을은 뭐든 특별히 더 맛있는 계절인 것 같다.

먹는 이야기는 말하는 것도, 쓰는 것, 읽는 것도 즐겁다. 미식가는 절대 아니다. 먹을 수 있는 것 보다 가리는 음식이 더 많고, 입도 짧다. 가을에 제철이라는 뼈 채 썬 전어도 못 먹는다.

바람이 서늘해 지면 꼭 만드는 것이 있다. '단호박 스프' 꼭 가을에만 만들 수 있는 건 아니다. 오히려 뉴질랜드에서 온 단호박은 여름에 단맛이 더 좋다. 창문에서 불어오는 바람이 서늘하다고 느껴질 때쯤 샛노란 단호박 스프를 한 냄비 끓인다. 그리고 식빵이든, 소금빵이든, 모닝빵이든 별다른 재료 없는 심심한 빵을 한 봉지 준비한다. 오목한 그릇에 담은 스프와 함께 빵을 먹는 건 이제는 버릇이라기보다 어떤 의식 같다. 첫눈이 올 때 먹는 군고구마와 핫초코, 봄에 먹는 쑥떡 같은 느낌이다.

제철 음식을 찾아다니는 건 아니지만, 계절의 시작을 기념하기 위한 소소한 계절 음식이 있다. 어떤 사람은 가을만 되면 평소 먹지도 않던 엽떡을 찾는 사람이 있다. 아마 그 사람에게 가을 제철 음식은 엽떡이겠구나 라는 생각을 한다.

단호박 스프와 더불어 내 가을 제철 음식은 돼지갈비다. 아마도 여름에는 차마 숯불 앞에 앉을 용기가 없기 때문이겠지만, 가을이 되면 꼭 남수원갈비를 찾는다. 그곳은 초등학교 시절부터 부모님과 가던 대단 할 것 없는 오래된 숯불갈비집이다. 그마저도 자주 가던 곳은 아니다. 생일이나 졸업식처럼 특별한 날에나 갈 수 있던 곳이다. 달큰한 간장 맛이 강한 고기도 맛있지만, 주문한 인원수대로 주는 공짜 냉면도 꽤 맛있다. 평양냉면 같은 고급냉면은 입에 맞지 않는다. 아주 얇은 면과 새콤달콤한 촌스러운 싸구려 보통 냉면이 좋다.

돼지갈비 얘기로 한 문단을 넘게 썼다. 가을이라 그렇다. 그냥 먹보잖아 라고 말해도 할 말은 없지만 그래도 가을은 조금 용서 받을 수 있는 계절 같다. 평소 보다 많이 먹어도 '가을이잖아'라는 말로 양심의 가책을 조금 합리화한다. 당연히 가을은 이용당할 뿐이지만, 어쨌든. 먹는 이야기는 즐겁다.

11. 오래된 시인

"가을밤같이 차게 울었다." 백석 시인의 『여승』이라는 시의 한 구절이다. 아주 오래전 스치듯 우연히 마주한 그 시는 십몇 년이 지나도 여전히 나의 가을을 대변하고 있다.

시를 쓰는 사람이나, 시를 좋아하는 사람들의 마음과 삶은 시와 닮았다. 원래 성정이 그러하여 시를 좋아한 것인지, 시를 좋아하다

보니 시와 닮게 되었는지는 모르겠다.

시인들은 눈에 보이는 것, 보이지 않는 것, 모든 것을 노래한다. 잠시 머무는 감정들과 연이 닿은 모든 것들을 가여워하고, 마음껏 연연한다. 흰밥과 가자미 반찬이 얼마나 만족스러웠는지 백석은 세상 서러울 것 없단다. 한겨울 국수 한 그릇이 뭐라고, 신이 나서 시를 지었다. 어찌나 천진하고, 순수한지 몇 번을 읽어도 피식 웃음이 새어나온다. 사실, 백석처럼 생겼으면 시는 좀 못 써도 될 법한데, 시까지 잘 써버리니 좀 그렇다. 기형도 시인처럼 인간적으로 생겼… 아니다.

'시적 허용'이라는 말이 좋다. 눈물이 뚝뚝 떨어지든, 똥똥 떨어지든 그것이 시라면 상관없다. 낙엽이 데굴데굴 구르든, 떼구루루 구르든 시라면 상관없다. 당나귀가 '응앙응앙'하고 운다고 해도 그게 시라면 상관없다. 이런저런 제약이 수두룩한 삶에서 최소한 시라는 영역 안에서는 자기가 느낀 대로 마음껏 표현해도 된다.

사실 나는 시를 읽는 것이 버겁다. 소설과는 다르게 시는 읽다 보면 시인이 내 마음속 아주 깊은 곳까지 들어 와 소근소근하는 듯하다. 기쁜 것도, 슬픈 것도, 사랑하는 것도 증오하는 것도 소근소근 이야기하는 것 같아서 쉬이 전이된다. 시를 쓰는 사람들은 시를 닮은 자신의 삶 한 토막을 다시 시로 쓰고 나는 그것을 읽는다. 이렇다 저렇다 실컷 이야기해주는 것도 아닌데, 충분히 마음을 나눈듯하다. 즐겁고, 충만하지만, 버겁다.

화가, 소설가, 작곡가 등등. 그런데 시인만 인(人)이다. 사랑하고,

연연하고, 가여워하고, 기뻐하고, 슬퍼한다. 내가 그렇고, 남들도 그렇고, 시인도 그렇다. 구신이 된 옛 시인도 그렇고, 요즘 시인도 그렇다. 그래서 시인만 인(人)인가 보다. 그러고 보니 시인 중에 술쟁이가 많은 것도 이해가 된다. 마음이 그리 여리고 고운데, 독한 소주라도 들이켜야 속 풀고 이야기하지.

가을비 치고는 드센 빗방울이 창을 때린다. 뚝뚝은 아니고, 땅땅 요란하다. 요란한 가을비 소리에 놀라서 손바닥만 한 시집 한 권이 책장에서 데굴데굴 굴러떨어졌다. 오랜만에 꿉꿉한 책장에서 나와 잔뜩 신이 나 소근소근 거리는 시인의 입에서 달큰한 막걸리 냄새 난다. 시 쓰는 모든 이들을 사랑하자.

12. 늦가을, 호빵

어제, 갑작스레 강릉을 다녀왔다. 일은 수단이었고, 그냥 혼자 놀았다. 자정 무렵, 하늘 가득한 별을 보며 대관령을 넘어 돌아오던 중. 횡성 안흥면을 지날 때 문뜩 떠올랐다.

'아, 찐빵' 찐빵으로 무슨 글을 써야 하나, 운전하는 내내 고민했다. 그러고 보니 호빵이랑 찐빵이 뭐가 다르지 하다가 그냥 둘 다 맛있으니, 파는 사람이 이름 붙이기 나름인가 보다 했다.

초등학교 때 찐빵이라는 별명을 가진 친구가 있었다. 여자아이 별명이 찐빵이었으니, 마음이 꽤나 상했을 법하다.

"뭘 봐 이 찐빵같이 생긴 게." 유난스럽게 그 아이를 놀리던 친구가 있었다. 뭐, 좀 진부한 결론이지만, 지금으로 부터 한 5년 전

쯤에 그 둘은 결혼을 했다. 그 둘이 연애를 시작할 때쯤이 아주 가관이었다. 모임에서 적당하게 취기가 올랐을 때 남자애는 또 그 찐빵이를 놀렸다. 나이가 서른이 넘어서도 찐빵으로 놀림당하는 게 지긋지긋했는지, 여자애가 버럭 화를 냈다. 당황했는지, 어쨌는지 남자애가 잠시 멈칫하더니, "찐빵, 귀엽고 예쁘잖아."라는 정신 나간 소리를 했다. 여자애 낯빛이 술 마신 것치고는 좀 오묘하게 붉어졌다. "야, 둘 다 꺼져."

그 뒤로 연애도 잘하고 결혼도 잘했다. 그 남자애한테 찐빵은 귀엽고 예쁜 모양이었나 보다. 그 당시 초등학교 남자애들은 밑도 끝도 없이 무슨 행동을 하든 관심만 받을 수 있다면 애정이 충족되었다. 고만고만하게 사는 맞벌이 집 아이들이 대부분이었으니, 사랑하는 법도, 받는 법도 이래저래 서툴렀다. 누가 봐도 놀리는 것처럼 보였지만, 그게 애정표현이었다.

뽀얗고 동글동글한 게 귀여운 것 같기도 했다. 아, 물론 찐빵 얘기다. 사물 하나를 바라보는 시선도 이렇게나 다르다. 꽃을 바라보는 마음도 사람을 바라보는 마음도 각자 다른 것이 어찌 보면 당연하다. 뭐더라. 결론은 어제부터 부쩍 바람이 차가워졌다.

어느 동네에서는 벌써 첫눈이 내렸다는 소식도 들려왔다. 이런 계절에는 무엇이든 손과 입을 따뜻하게 해주는 모든 것이 좋다. 김이 올라오지 않는 미지근한 우유, 겉이 마르지 않고 촉촉한 몽실몽실한 호빵. 겨울의 기쁨은 소소하다. 그러니까, 결론은 예전보다 호빵 기계가 귀해졌다. 편의점에서 호빵이 보이면 바로바로 먹어야 한다. 또 먹는 얘기였네. 가을이다.

13. 다시, 첫눈

첫눈이 없는 해는 없습니다. 먼 남쪽 나라로 떠나거나, 천지가 개벽해서 땅이 뒤틀리지 않는 이상 첫눈은 항상 돌아옵니다. 약속한 적도 없는데 필연적으로 돌아오는 것들이 부러웠습니다. 사무치게 그리운 것들은 언제나 돌아오지 못하는 것들이니까요.

그리움을 남기기에 책만큼 좋은 곳이 있을까요. 저는 시작하면서 '읽히는 기쁨'에 대해 이야기했었죠. 보물을 숨겨둔 것처럼 떠벌렸던 것 같아요. 미안합니다. 돌아보니 보물은 커녕 그리움과 닮은 감정만 잔뜩 남겨두었네요. 그래도 쓸쓸하거나, 슬픈 건 아니에요. 그립다고 해서 언제나 슬픈 건 아니니까요.

다시 올해 첫눈이 내렸어요. 2023년 첫눈이 내릴 무렵 저는 이렇게 글을 마무리해요. 마음 깊은 곳에 담을 예쁜 기억이 또 하나 생겼어요. 2023년 첫눈이 올 때 저는 편지를 썼어요. 얼굴도 이름도 모르고, 있을지 없을지도 모를 그대에게.

어떠셨을까요. 저의 바람대로 편안한 시간이 되었을까요. 그러셨으면 해요. 저는 편했어요. 특별히 시린 마음 없이, 아픈 마음 없이 글을 쓴 것 같아요.

돌아볼 수 있는 기억과 마음이 있다는 건 정말 고마운 일이에요. 매해 돌아오는 봄꽃처럼, 한여름 햇볕을 잔뜩 머금은 바다처럼. 이렇게 사락거리며 내리는 첫눈처럼.

페이지만 열면 팡 하고 떠오르는 기억과 마음을 남길 수 있다는 건 정말 즐거운 일이에요.

고마워요. 여기까지 읽어줘서. 최선을 다해 잘 지내주세요.

8로 눈사람을 만들어 보니

8월에도 크리스마스 있었으면 좋겠어요

그럼 축제같은 날이 하루 더 생기는 거니까요

SEONG CHANG KYU

Seong Changkyu

성 창 규

루돌프 극장

124 Seong Chang kyu

♪ We wish your a Merry Christmas, We wish your a Merry Christmas, We wish your Merry Christmas and a happy New Year ♪

캐롤이 울려 퍼지고 조용히 붉은 막이 오른다. 무대 바닥에서 루돌프가 깜짝스레 등장하며 루돌프를 향해 조명이 내리 비춘다.

**

루돌프 : 안녕, 너희들! 나야, 루돌프!

아니, 거기 너! 크리스마스인데 집에서 책이나 보고 앉아 있는 거야? 밖에 나가서 크리스마스를 좀 즐겨야지! 아니면 친구들을 만난다거나 가족이랑 오붓한 시간을 보낸다거나, 그것도 아니라면 연인을 만난다거나... 아냐 집어치우자. 아, 갑자기 내 말 듣고 밖으로 일단 나가 봐야겠다고?! 자.. 잠깐만! 워워! 진정해. 진정하고 잠시만 기다려 봐. 내가 좋은 걸 줄게 있으니까 이렇게 깜짝 등장을 한 거 아니겠어? 잠깐이면 돼. 잠시만 기다려봐.

아, 그건 그렇고. 나는 어제까지 크리스마스 때 아이들에게 나눠줄 선물을 포장하고 있었어. 뭐, 네가 묻지는 않았지만 얘기란 이런 식으로 진행되는 거잖아? 들어봐. 나는 그렇게 생각해. 선물은 내용물도 물론 중요하지만 포장지를 벗길 때가 가장 두근두근 거리는 일이라고 말이야. 사실 이건 산타 할아범이 내게 가르쳐 준거야. 그래서 나는 선물을 포장할 때마다 아주 고급스럽고 느낌있는 포장지로 포장하곤 해. 그래야 열어보는 맛이 나잖아? 아, 나는 됐고 산타 할아버지는 뭐하고 계시냐고? 크리스마스엔 뭐 산타 할아버지만 중요한 거야? 흑흑. 난 루돌프라서.. 안.. 되는 거야? 흑흑.. 서럽다 서러워.. 뭐 산타 할아범은 아마 내일 썰매가 하루 종일 잘 날 수 있도록 손 보고 있을 거야.

아! 말이 길어졌네. 아까도 말했다시피 이 루돌프님이 깜짝 등장한 이유는 너에게도 선물을 좀 나눠 줄게 있어서 라는 말이지. 응? 이제 선물 받을 나이는 이미 지났다고? 흠.. 그건 꽤 슬픈 일인데?! 하지만 말이야, 누구라도 선물을 받으면 즐거운 법 아니겠어? 산타 할아범이 너를 신경이나 쓸 것 같아? 작고 고사리 같은 손을 가진 그 조그만 꼬맹이들이나 예뻐하시겠지. 슬슬 주름살이 지는 너를 신경이나 쓰겠냐는 말이야! 산타 할아범은 몰라도 나는 오늘 만큼은 네가 행복해져도 괜찮다 생각해. 그래서 깜짝 선물을 준비했다 이 말씀이야! 그것도 산타 할아범 몰래 조용히, 아주 은밀하게 말이지. 에헴!

“울면 안돼, 울면 안돼. 산타 할아버지는 우는 아이들에게 서-언물을 안 주신대.” 이 가사 기억해? 아이들은 말이야 크리스마스에 선물을 받기 위해 착한 아이가 되고 싶어해. 울어서도 안 되고, 엄마 아빠 말을 그 날 만큼은 잘 들으려고 노력하지. 안 그러면 산타 할아버지가 선물을 안 준다고 생각하니깐 말이야. 그렇지만 사실 그런 규칙은 없어. 크리스마스는 축제니까 모든 아이들이 행복해야 하고, 모든 사람들이 행복해야 하는 거야. 그래서 선물은 누구에게나 어떤 방식으로든 전달되지.

그래서 어떤 선물을 준비했냐고? 쯧쯧. 그런 마음으로 퍽이나 좋은 선물 받겠다야. 선물은 바로 바로! 내가 지금부터 들려줄 이야기야! 아, 뭐 그런 게 무슨 선물이냐고? 에이, 들어봐! 나도 알아, 네 마음. 무슨 마음인지 잘 알고 있어.. 그래도 잠시만!! 이건 너의 인생에서 분명 아주 중요한 선물이 될 거야. 이건 네가 그렇게 좋아하는 산타 할아버지가 내게 들려준 이야기이기도 하단 말이야! 응? 뭐?! 그럼 괜찮다고? 이거 산타 할아범으로 태어날 걸 그랬나봐.. 산타 할아버지는.. 너에게.. (쿨럭!) 주름진.. (쿨럭!) 관심이.. (쿨럭!) 아, 됐고. 잘 들어봐. 나는 분명히 말했어. 네 인생에서 아주 중요한 선물이 될 거라고 말이야. 시시하게 느껴져도 별 수 없어. 좋은 건 원래 흔해 보이게 마련이니깐. 그럼 바로 시작할게.

제 *1* 막

회색 포장지에 담긴 빨간 코

쑥스럽지만 말야 나는 장난꾸러기 기질을 가지고 있어. 온갖 특별한 장난을 무척이나 좋아하지, 후훗! 아마 옛날에 나였다면 상상도 못했을 거야. 뭐 어쨌든! 아이들에게 선물을 나눠주려고 포장을 하고 있었는데 갑자기 아주 재미난 장난 하나가 떠오르지 뭐야. 산타 할아범도 모르게 아주 은.밀.히. 준비했지. 장난은 아무도 모르게 준비해야 재미난 법이잖아, 후후! 그래서 그 장난에 대한 얘기를 잠시 들려줄까 해.

나는 그 날도 어김없이 아이들에게 나눠줄 선물을 예쁘게 포장하고 있었단 말이지. 그런데 그 선물 중에 몇개를 골라서 그 선물과 어울리지 않는 포장지에 몰래 포장을 해버린 거야. 이해가 돼? 가령 남자아이들이 좋아하는 최신형 무선 자동차나 로보트같은 선물을 여자아이들이 좋아할 만한 핑크색 포장지나 예쁜 공주님이 그려진 포장지에 담아 포장을 해버리는 거지. 반대로 여자아이들이 좋아하는 예쁜 곰 인형이나 소꿉놀이 세트는 그 반대로 남자아이들이 좋아할 만한 자동차나 로보트가 그려진 포장지로 포장해버리는 거야. 내가 앞서 얘기했었지? 선물은 포장지를 벗길 때가 가장 두근두근 거리는 거라고 말이야. 근데 포장지에 따라서도 가슴이 두근거리기도 하고 아닐 때가 있어. 맘에 쏙 드는 선물이 때로는 맘에 들지 않는 선물 포장지에 들어 있기도 하고 반대로 별로 원하지 않는 선물이 맘에 쏙 드는 포장지에 들어 있기도 하고 그렇지. 인생을 좀 살아본 너는 분명 내가 무슨 이야기를 하는지 이해할 거야.

이처럼 선물을 그에 맞지 않는 포장지로 포장해버리면 아이들은 겉 포장지 만 보고선 자신이 원하지 않는 선물을 받았다고 생각하게 되겠지. 그 안에 자신이 가장 좋아하는 선물이 들어있는 건 꿈에도 모르는 채 말이야. 만약 기꺼이 그 선물을 열어본다면 그 아이는 아마 최고의 선물을 받게 되겠지만. 혹 맘에 들지 않는다며 열어보지 않을지도 몰라. 나는 아마 아이들에게 알려주고 싶었나봐. 이 세상에는 당연한 것은 없다는 사실을 말이야.

아마 이 세상에 신이 존재한다면 어떨까? 그 분도 나처럼 장난꾸러기 일지도 몰라. 그건 어느 누구도 모르는 거지. 암, 그렇고 말고. 아마 신부님, 스님, 목사님도 그건 모를 거야. 하하하하! 그럼 이제부터 식상한 이야기 말고 제대로 된 이야기를 들려줄게. 지금까지의 이야기는 그저 에피타이저에 불과한 거였어. 맛있는 요리는 살짝 뜸이 필요한 법이잖아? 그럼 이제 메인 요리 시작할게! 맛있게 먹으라고, 후훗.

이 얘기는 내가 산타 할아범과 함께 선물을 나눠주는 일을 시작하기도 하-안 참도 전의 일인데 말이야, 그러니까 내가 '루돌프 사슴코는 매우 반짝이는 코' 라는 노래에 등장하기도 한참 전의 얘기인 셈이지. 아마 이 얘기에 대해선 어느 누구도 그렇게 큰 관심을 갖지 않았을 거야. 그렇지만 아주 이건 아주 중요하고도 맛있는 얘기니까 잘 들어줘!

아주 오래전 내가 태어날 때의 일인데, 나는 북극 지방에 있는 어느 한 마을에서 태어났어. 내가 태어나는 날 신기하게도 함박눈이 내렸다고 하더라고. 함박눈이 곱게 내리는 그 날에 내가 태어났기 때문에 우리 엄마는 나를 눈에 젖지 않게 하려고 갖은 애를 쓰셨대. 그만큼 나를 끔찍하게 아끼셨던 분이었지. 근데 내가 태어나면서부터 특이한 점이 하나 있었는데, 그건 다른 순록들과 달리 유독 코가 빨갛다는 점 이었어. 이건 이미 아는 이야기라고? 아니 잠깐 들어봐. 원래 순록들은 말이야, 날씨가 추워지면 코에 열이 나기 때문에 코가 살짝 붉어지거든. 근데 내 코는 살짝이 아니라 너무 지나치게 빨갛던 거야. 그러니까 아주 달랐던 게 아니라 조금 달랐던 거지. 그래서 우리 엄마는 처음에 내가 추위에 약해서 그런가 보다 하고 더 지극히 보살펴줬데. 하지만 그 지극 정성으로 보살펴주던 엄마의 태도도 점점 바뀌기 시작한 거야. 사람들이 점점 나의 존재를 저주하기 시작했거든. 물론 나와 놀던 친구들도 내 빨간 코를 보며 놀려대며 나를 피하기 시작했으니까 말이지. 엄마도 어쩔 수 없었을지 몰라. 서서히 남들처럼 남다른 나를 멀리하기 시작하더라고.

남들과 다르다는 건 말야, 처음엔 뭐 특별하게 보일지는 몰라도 그것이 잠시 동안 일어나는 게 아니라 장시간 쭉 그대로 남아있을 경우라면 상황이 좀 달라져버려. 쭉 지속되면 그건 더 이상 특별한 게 아니라 몬스터의 한 속성처럼 보이기 시작해버려. 그러니까 인간들도 아이가 태어나면 제일 처음으로 하는 일이 손가락과 발가락 개수를 확인하는 거지? 바로 그런 이유야. 만약 네가 손가락이 네 개뿐인 어떤 사람을 만났다고 하자. 처음엔 조금 신기해 할지도 몰라. 세상에서 처음으로 그 사람을 마주했다면 말이지. 하지만 시간이 지나면서 모든 사람들이 손가락이 다섯 개 가진 것이 보통이라는 것을 깨닫는다면 넌 어느새 그 다르다는 사실이 불편해지기 시작할 거야. 깨닫고 난 후에 네가 손가락이 네 개 뿐인 그 사람을 다른 사람들을 대하듯 똑같이 대할 수 있을 것 같아? 아니면 머리가 셋 달린 개를 귀엽다고 어루만지거나 눈이 하나 뿐인 고양이를 보면서 다른 고양이들처럼 귀엽다고 말할 수 있을까?

그렇듯 내 빨간 코 덕분에 나는 내가 태어난 곳에서 쫓겨나야 했어. 그들은 나의 다름이 불편했을테니까. 그래서 괴물이라 느니, 너 같은 건 태어나지 말았어야 했다느니, 그런 말을 들으면서 나는 마을 밖으로 쫓겨나야 했지. 더 이상 엄마도 나를 감싸줄 순 없었어. 너무 슬픈 저녁이었지. "이 망할 놈의 코, 다 이 놈의 코 때문이야!" 나는 그렇게 애꿎은 땅만 발로 툭툭 걷어차면서 캄캄한 길을 혼자 걷기 시작했어. 걷는 것 빼곤 딱히 할 일이 없었나 봐. 어디 목적지가 있던 것도 아니고, 어느 누구를 만나러 가는 것도 아니었지. 그냥 걷지않았으면 나 자신이 너무 불쌍하게 느껴질 것 같아 그냥 무작정 걸었어. 그렇게 하염없이 걷다 보니 말이야 두 눈에 오렌지 빛 같은 게 보이더라고. 그 희미한 오렌지 빛 가운데 어떤 오두막집 같은 게 보였는데 그 뿜어져 나오는 빛이 유난히 따뜻하게 느껴지더라. 그래서 그 오렌지 빛에 다다르면 왠지 괜찮아 질 것 같았어. 마침내 그 빛에 다다르니 꽤 시끌벅적한 마을이더라고. 그 곳엔 많은 사람들이 사는 모양이었는데 조금 느낌이 이상했어. 왜냐하면 거기서 살고있는 사람들은 내가 알던 사람들과 달리 너무나 자그마했거든. 내 다리 길이보다도 작았어. 한 80 센치 정도 되었으려나? 그들은 모두 초록색 옷을 입고 있었는데 무언가를 계속 열심히 나르고 있더라고. 잠시 그들을 물끄러미 지켜보고 있으려니까 그 중에 한 사람이 다가와서는 "왜 여기에 순록이 있는 거야?" 라고 말했지만 다른 사람들은 별 반응 없이 그저 할 일들을 계속했지. 그들은 왠지 무척 바빠 보였어. 동그랗게 생긴 것, 길다랗게 생긴 것, 네모 낳게 생긴 것들을 마구마구 옮기기 바빴지. 갑자기 흰 털로 장식된 빨간 옷과 빨간 모자를 쓴 한 할아버지가 나타났지. 할아버지는 그 바쁘게 일하고 있던 사람들에게 "여보게들, 다들 잠시 쉬었다 하게나." 라고 말하자 초록 옷을 입은 사람들은 재빨리 어떤 성 안으로 들어가버렸어. 나는 멍하니 그 광경을 지켜보고 있었을 뿐이었지. 할아버지는 묵묵히 서 있던 나를 알아채고는 “오, 못 보던 순록이로구나. 그래, 너는 어디서 온 게냐?” 라고 물었어. 그래서 난 “네, 저는 제가 살던 마을에서 쫓겨나 하염없이 걷다 보니 이 곳에 왔습니다.” 라고 대답했지. 하지만 알잖아. 사람과 동물은 서로 어떤 말을 나눌 수가 없다는 걸. 내 입 밖으로는 “후으응! 푸르!” 라는 소리 밖에 나오지 않았던 거야. 그런데 생각해보니 몸이 갑자기 오싹해지기 시작했어. 왜냐하면 할아버지가 “아이고 저런, 딱한 일을 당했구나, 쯧쯧. 그래, 그럼 어디로 갈 생각이었던 게냐?” 내 눈은 휘둥그레졌어. 나는 너무 놀라 할아버지에게 소리치며 물었지. “할아버지! 제가 하는 말을 알아들으실 수 있나요?!” 그에 할아버지는 아무렇지 않다는 듯 담담하게 “아, 이것이 너에겐 조금 신기하게 느껴지겠구나. 음, 사실 나는 너의 말을 들을 수 있는게 아니란다. 그저 너의 생각을 들을 수 있는 게지.” 그 말에 나는 “네?” 라는 말과 함께 들었던 말을 한참 이해하려고 노력했어. 그러자 할아버지는 “그 동안 먹을 것도 제대로 못 먹었겠구나. 그럼 나와 함께 가자꾸나. 무언가를 좀 먹어야 하지 않겠니?” 라고 말하며 나를 어디론가 데려 갔어. 그 곳은 다른 순록들이 머물고 있는 그런 곳이었는데 할아버지는 나와 함께 그 안으로 들어서며 다른 순록들 에게 얘기했지. “너희 친구를 한 명을 데리고 왔단다. 아마 몸도 마음도 많이 얼어붙은 모양이구나. 너희들이 조금씩 신경을 써주었으면 참 좋을 것 같구나.” 그 말에 순록들은 일제히 “알겠어요, 할아버지!” 라며 일제히 대답했지. 할아버지는 뭔가를 잊어 버렸다는 듯한 얼굴로 내게 다시 말을 걸었어. “아차, 네 이름도 아직 안 물어봤구나. 그래, 네 이름은 무엇이니?” 그에 나는 “아! 저는 루돌프 라고 해요.” 라고 대답했지. “음, 그거 참 근사한 이름이구나. 그럼 먹을 것 좀 가져올 테니 잠시 쉬고 있으렴.” 그렇게 말하시고는 할아버지는 어디론가 사라지셨어. 그제서야 다른 순록들이 나에게 관심을 갖기 시작했지. “안녕, 나는 안젤라라고 해. 반가워!” , “안녕, 나는 루크라고 해, 잘 부탁해!” , “안녕, 나는 엠마라고 해. 어서 와!” 그들은 모두 내게 자신의 이름을 말해주며 인사를 건넸지. 언제나 미움을 받던 마을과 달리 이곳은 참 몸도 마음도 따뜻한 곳이었어. 그들 중 나를 가장 신기해 하던 엠마는 “네 이름이 루돌프라고 했지? 그래, 너는 어디서 온 거니?” 라며 물었지. “아, 나는 북극 지방에 한 마을에서 왔어. 사실 이 빨간 코가 보이니? 이 코 때문에 나는 살던 마을에서 쫓겨나 어쩌다 보니 여기까지 오게 되었어.” 의기소침하게 내가 그렇게 대답하자 그들은 나의 코를 놀려 댔던 마을 사람들이나 나의 친구들과는 달리 반응이 좀 달랐어. “와, 완전 빨갛네? 다른 순록들 중에서 너를 쉽게 찾아낼 수 있겠다 야!”, “오!! 그거 참 예쁜 색의 코잖아. 완전 부럽다.. 나도 내 코가 조금 더 너처럼 빨갰으면 더 멋있었을 텐데.” 라며 내 빨간 코를 칭찬해 주었어. 그 말에 나는 당황 해서 “아니.. 너희들은 내 코가 이상하다고 생각하지 않아?” 라고 조심스레 물었지만 그들은 하나같이 “그 코가 너에게 특별함을 만들어주고 있잖아. 그건 참 멋진 거야!” 라며 대답해 주었어. 조금은 이상하다 싶었지. ‘왜 내가 살던 마을에서는 내 코를 특별하다고 여겨주지 않았던 걸까. 이 친구들이 우리 마을에서 함께 살았더라면 나는 그곳에서 쫓겨날 일도 없이 행복하게 살았을 텐데' 라고 생각하고 있던 순간 할아버지가 돌아오셨지. "다들 배고팠겠구나. 여기 이것 좀 먹으려 무나." 하고 버드나무 잎과 자작나무 잎을 가져다 주었어. 그렇게 나는 처음 보는 친구들과 아무렇지도 않게 맛있는 식사를 먹게 되었지. "아차, 이런! 내 소개를 깜빡했구나. 내 이름은 산타클로스라고 한단다. 그래, 네가 갈 곳이 없다면 이 곳에서 잠시 머무르면서 지내는 게 어떻겠니?" 라는 할아버지의 말에 내 눈은 다시 한 번 더 휘둥그레졌어. "네? 할아버지가 그 산타클로스 할아버지라고요? 크리스마스에 선물을 나눠준다는 그 분이라고요?!" 나는 너무 놀라 그렇게 말해 버렸어. "허허, 뭐 대단한 일은 아니란다. 그저 내가 부탁 받아 하고 있는 일이지. 아까 너희에게 먹을 것을 나눠줄 때 너희들이 하던 얘기를 듣고 있었단다. 참 예쁜 코를 가졌구나 얘야." 난 이 상황이 조금 이해가 되지 않았어. 내 마을의 동물들은 내 코를 비난하며 괴물이라 놀려 댔지만 지금 이 곳에 있는 할아버지와 다른 동물들은 내 코를 오히려 예쁘다고 칭찬해주었으니까 말이야. "할아버지, 저는 이 상황이 이해가 되지 않아요. 제 마을에서는 제 코 때문에 쫓겨나게 되었는데 이곳에서는 할아버지와 친구들이 제 코를 칭찬해주니 말이에요." 그러자 할아버지는 "음, 그런 생각이 들 수도 있겠구나. 하지만 네 코 덕분에 우리가 만날 수 있었잖니? 그건 참 멋진 일이라는 생각이 드는구나." 할아버지의 아리송한 말이 잘 이해가 되지 않았지. 할아버지는 잠시 쉬었다

다시 말하기 시작했어. “여기 있는 친구들도 어쩌면 너와 같은 이유로 이곳에 오게 된 거란다. 여름의 순록들은 금빛 눈동자를 가지고 있다가 겨울에는 파란색으로 변한다지 아마? 하지만 여기 있는 안젤라는 여전히 겨울에도 금빛을 띄고 있어서 마을에서 쫓겨나 이 곳에 오게 되었단다. 저기 루크도 머리에 자라난 뿔이 서로 대칭을 이루지 않아 우리가 만날 수 있게 되었지. 저기 갈색 털에 흰털로 줄무늬가 그려진 엠마도 역시도 그렇단다. 처음에는 그들도 너처럼 자신들이 다른 순록들과 다른 점을 원망했었지. 하지만 내게는 그것들이 참 근사해 보이더구나.” 그 얘기를 듣다 한참을 생각했어. 나의 다른 점이 원래는 근사한 것일지도 모른다는 생각이 들기도 했지. “너는 참 예쁜 코를 가졌단다. 아주 빨갛고 예쁜 코를 말이야.” 할아버지가 내 코를 쓰다듬자 내 코에서 빛이 반짝이기 시작했어. “할... 할아버지, 제 코가... 제 코가...!!” 내가 너무도 놀라 그렇게 말하고 있는데 “흠, 그렇구나. 너의 코는 아주 특별한 힘을 가지고 있었구나. 다른 친구들도 마찬가지란다. 안젤라의 금빛 눈은 누구보다 더 뛰어난 시력을 가지고 있지. 루크의 대칭을 이루지 않는 뿔은 오히려 탁월한 방향감각을 가지고 있고 말이야. 엠마 역시도 부드러운 흰 털 때문에 다른 순록들보다 더 빠르게 달릴 수 있는 거란다. 너의 코는 밝으니 다른 친구들로 하여금 좋은 길로 인도해줄 수 있겠구나.” 그렇게 할아버지의 말이 끝나자 내 코에서 반짝이던 빛이 갑자기 사라져 버렸어. “나는 이곳에서 어린 아이들에게 선물을 나눠주는 일을 하고 있단다. 네 그 멋진 코로 나를 좀 도와줄 수 있겠니?” 라며 할아버지가 내게 묻자 내 코가 누군가에게 기쁨이 될 수 있다면 그 쪽이 더 나을지 모른다는 생각에 알겠다고 대답해 버렸지.

어쩌면 그런지도 모르겠어. 살아있는 것들 모두가 자세히 들여다보면 모두가 다르게 생겼잖아. 그런데 어떤 이에게는 그 다르다는 점이 불편하게 느껴질 수도 있고, 동시에 어떤 이에게는 아름답게 느껴질 수도 있어. 그건 마치 선물과 선물 포장지와 같은 얘기지. 물론 선물은 그 안에 내용물이 훨씬 중요하겠지만 선물을 주거나 받을 때는 예쁜 포장지에 포장해서 주곤 하잖아? 그 포장지에 따라 선물의 가치는 좀 바뀌는 걸지도 몰라. 아무리 좋은 선물이라고 해도 허름한 포장지에 담겨 있다면 그 선물은 허름한 선물이라고 생각하고 말 거야. 반대로 그 선물이 비록 소중한 것은 아니라고 해도 정성스레 포장되어 있다면 그것은 정성이 담긴 선물이 돼버리고 말지. 모든 이들은 겉모습만 가지고 판단하는게 잘못된 거라고들 하지만 포장지를 벗길 때가 선물을 받을 때 가장 즐거운 묘미잖아? 그렇게 생각해본다면 내 코를 어떤 포장지에 담느냐에 따라 그것은 괴물의 증표가 되기도 하고, 또는 빛나는 아름다움의 상징이 되기도 할 거야. 그래서 난 내 코를 빛나는 아름다운 포장지에 담기로 했지. 그래서 크리스마스 때마다 네가 나의 코처럼 빨간 장식용 코를 코에 달고 크리스마스를 맞이하게 되는 걸지도 모르지. 너도 너 자신을 예쁜 포장지에 담았으면 해. 너의 삶이 멋진 선물이라면 멋진 포장지가 알맞은 거잖아?

어때? 이야기가 마음에 들었어? 사람들은 참 신기하지. 모두가 서로 다르게 태어났는데도 불구하고 같아지려고 하니 말이야. 뭐 동물도 크게 다르진 않아. 어느 한 가지의 이상적인 모습을 만들어 놓고 그 모습과 닮아 가려고 노력 하잖아. 근데 모두가 같은 모습이 아니어도 충분히 괜찮은 거잖아. 어차피 모두가 서로 다른 모습으로 태어났으니까 말이야. 하지만 다르다는 것을 사람들은 좀처럼 인정하고 싶지 않은가 봐. 내 빨간 코처럼 말이야. 내 코는 단지 다른 순록들에 비해 조금 더 빨갰던 것 뿐인데 어떤 이는 괴물처럼 느끼기도 하고, 어떤 이는 특별하고 소중한 존재처럼 느껴지기도 했으니까. 그저 내 코가 조금 더 빨갛다는 이유 뿐인데.

여기서 질문 하나 해볼께. 결국 같은 빨간 코일 뿐인데 누구에게는 불편한 것이 되고, 누군가에게는 특별해지는 이유는 무엇일까? 음, 질문이 좀 어렵다고? 음, 그럼 내가 대신 답해볼게. 다르다는 것은 일반적이지 않다고 생각할 때가 많잖아. 가령 사람의 손가락이 5 개여야 하는 사람이 4 개라던가 하는 그런 것 말이야. 그러면 그것을 열등하다거나 나약한 것, 하찮은 것으로 여기게 되고 말지. 그러면 그것은 불편한 게 되고 말 거야. 하지만 다르다는 것을 특별하다고 생각해본다면 얘기는 조금 달라지지. 그것은 어떤 의미가 부여되니까 말이야. 남들과 다른 것을 그저 인정하고 더 아끼고 소중하게 여긴다면 그건 아름답고 소중한 게 돼버리고 말지. 그렇다면 이건 마치 선물을 어떤 포장지에 담느냐와 똑같은 말인 거야. 포장지에 따라 그 가치가 바뀔 수가 있으니까 말이지. 예쁜 포장지에 소중히 담으면 그건 소중한 선물이 되는 것이고, 그냥 아무 대충 포장지에 휙 둘러 포장하면 그것은 가치 없는 것이 되고 때로는 원망이 되기도 할거야. 결국은 어떻게 포장하느냐에 달린 셈이지. 하하! 포장지에 따라 그 안에 담긴 선물이 좌우된다. 참으로 재밌는 말이야.

처음에 들려줬던 얘기에서처럼 아이들에게 선물을 나눠줄 때 나는 선물 포장지를 바꿔놓는 심술궂은 장난을 치곤 했어. 그런데 이번에는 반대로 내가 선물을 열어보는 아이의 역할을 맡아 버렸네. 참 인생은 알 수 없어, 그치? 어쩌면 소중한 나의 이 코를 허름한 포장지에 담겨 받게 되었으니 말이지. 그래서 그것은 나에게 선물이 될 수 없다고 너무 당연하게 생각했는지도 몰라. 신이 장난이라도 쳐 놓은 걸까?

난 나의 빨간 코 때문에 살고 있던 마을에서 쫓겨나 정처없이 걷고 있었을 때는 내 코가 너무도 마음에 들지 않았어. 너무나도 싫었지. 그 코 때문에 나 같은 건 태어나지 말았어야 한다고 생각했어. 그 때의 내 코는 아주 허름한 포장지에 포장되어 있던 거야. 그 때에는 이게 얼마나 소중한 선물인지 미쳐 알 수 없었던 거지. 하지만 산타 할아버지를 만나고, 그리고 다른 순록 친구들을 만나고 생각이 바뀌었어. 내 빨간 코가 누군가에게 도움이 될 수도 있겠구나, 소중한 것일 수도 있겠구나 하고 말이야. 내 코 때문에 크리스마스에 많은 사람들이 나를 기억해주는 것처럼 말이지. 그렇게 내가 받은 빨간 코라는 멋진 선물을 허름하게 쌓여진 포장지에서 조심스레 꺼내 예쁜 포장지로 다시 정성껏 포장한 것 뿐이야. 생각해보면 내 빨간 코는 아무 잘못이 없잖아. 그저 빨간 것 뿐이잖아. 내 빨간 코를 사랑할지 원망할 지는 결국 내가 어떤 포장지에 담느냐에 따라 나뉘는 것 뿐이었는데 말이야.

아아, 혹시나 여기서 얘기가 끝날 거라고 생각했다면 오산이야. 아직 조금 더 남아있으니 기다려줘. 혹시라도 지금까지의 이야기가 재미가 없었다면 잊어도 좋아. 이번엔 반드시 더 재밌는 얘기를 들려줄 테니까 말이야. 또, 또. 얘기가 길어졌네. 그럼 바로 시작할게.

제 2막

여름이라는 포장지에 담긴 크리스마스

25일이 지나고 마침내 크리스마스가 끝나면 산타 할아범과 나, 그리고 안젤라, 루크, 엠마, 그리고 초록 옷을 입고 있던 수많은 요정들은 모두 긴 휴식을 가져. 한 번 생각을 해 봐. 전세계의 2억 명의 어린이들이 살고 있다고 한다면 그 선물들을 주기 위해 약 7500만 가구를 방문해야겠지? 이 집들이 평균 2.62km씩 떨어져 있다고 생각해본다면 산타 할아버지와 우리 순록들은 총 1억 9633km를 이동해야 하는 셈이야. 이만큼의 거리를 24시간 만에 다니려면 시속 818만 km로 달려야 된다는 얘긴데 실제로는 이렇게 선물을 배달할 수는 없어. 그래서 조금 특별한 것이 준비되어야 해. 하루 만에 2억명이나 되는 아이들에게 차질없이 모두 선물을 나눠줄 수 있는 것은 바로 썰매에 달린 특급 엔진 덕분이야. 그 특급 엔진은 아주 특별한 연료로만 움직이는데 요정들이 깨끗하고 고운 흰 눈을 모아다가 눈 결정들에서 뽑아낸 아주 귀한 연료로 말이야. 특급 엔진을 쓰면 썰매를 빛의 속도로 하늘을 날 수 있게 만들어주지. 그러면 일반적으로 흘러가는 시간보다 훨씬 더 오랜 시간을 날 수 있어. 쉽게 말해서 네가 보내는 몇 분의 시간이 우리에겐 한 달 과도 같은 시간이 되는 셈이야. 그 때문에 모든 어린이들에게 빠짐없이 선물을 전달할 수 있게 되는 거지.

하지만 그렇다고 해서 아이들에게 선물을 나눠주는 일이 결코 쉽다는 얘기가 아니야. 생각해 봐. 2 억명이라고, 2 억명! 그렇게 힘겨우면서도 행복한 선물 나눠주는 일이 끝나고 나면 우리는 우리만의 크리스마스를 보내게 돼. 너에겐 12 월 25 일 단 하루가 크리스마스겠지만 우리는 나머지 모든 날이 크리스마스인 셈이니까.

처음으로 산타 할아범과 아이들에게 선물을 나눠주는 일을 모두 끝마쳤을 때 산타 할아범은 우리에게 자신을 해변가에 내려두고 그 이후는 각자 알아서 편히 쉬라고 말씀하셨지. 그래서 우리는 경치 좋은 해변가에 할아범을 내려드렸어. 그 후에 안젤라와 루크, 엠마는 다시 하늘을 날아서 자신들의 쉴 곳을 찾아 떠났지. 나는 산타 할아범과 함께 남기로 했어. 딱히 어디 갈 데도 없었거든. 그러자 할아범은 "루돌프야, 참으로 고맙구나. 네 덕분에 우리는 다른 때 보다 더 안전하게 선물을 배달할 수 있었으니 말이다. 안젤라의 좋은 눈도 갑자기 눈보라가 몰아치기 시작하면 때때로 갈피를 잃곤 하더구나. 그럴 때 너의 밝은 코가 있어서 정말 다행이지 뭐냐. 그 반짝이는 코 덕분에 참으로 든든했단다. 정말 고맙구나." 산타 할아범의 말에 내 마음은 쿵쾅거렸어. "아니에요, 할아버지.

제 코가 누군가에게 도움이 될 수 있다니 기뻐요. 사실 할아버지와 순록 친구들을 만나기 전만해도 제 코를 많이 원망했었어요. 하지만 할아버지와 친구들을 만난 이후부터 제 코가 좋아지기 시작했어요." 그에 할아범은 고개를 끄덕이시더니 조용히 입을 여셨지. "음, 그럴 테지. 아마 네 코를 아주 많이도 원망했을 테지. 모두 그 코 때문에 벌어진 일처럼 보였을 테니까 말이야. 하지만 이 세상에는 당연한 것은 어디에도 없단다. 네 코가 빨갛지 않았다면 우리가 만나는 일도 없었을 게 아니냐. 그리고 우리는 갑자기 눈보라라도 몰아치면 어쩔 도리가 없었겠지. 하지만 너의 빛나는 빨간 코 덕분에 우리는 서로 만나게 될 수 있었고, 더 안전하게 선물을 전달할 수 있게 된 게지." 할아범의 말에 나는 어떤 말을 해야할지 잘 몰랐어. 그래서 가만히 할아범의 말이 끝마치기를 기다리고 있었지. "음, 아마 이번에 나와 함께 선물을 나눠주면서 전 세계에 크리스마스 풍경을 보게 되었겠구나. 그래, 이 세상을 위에서 모두 내려다보면서 어떤 기분이 들었었니, 루돌프야?" 그 말에 나는 마음이 들떠 버렸어. "아, 정말 너무 신기했어요. 제가 알고 있던 크리스마스의 풍경은 눈이 내리고, 크리스마스 트리 위에 반짝이는 노란색 큰 별이 장식되어 있고, 한 겨울에 서로가 입을 모아 노래를 부르고 춤을 추며 음식을 먹고 행복해 하는 그런 크리스마스 뿐이었죠. 하지만 어디선가에는 선인장에 크리스마스 장식을 해놓기도 하고, 어느 누군가는 여름날에 수영복 차림으로 크리스마스를 보내고 있더라고요. 무더운 더위 밑에 크리스마스라뇨. 너무 신기하고 재미있었어요. 아참, 그리고 할아버지가 스페인이라는 곳을 지나쳤을 때에는 동물원에 있던 동물들에게도 선물을 나눠주었을 때는 조금 의아하기도 했고요." 할아범은 흡족한 얼굴로 나를 바라보며 말씀하셨지. "그렇단다. 이 세상에는 네가 보았던 것처럼 당연한 것은 어디에도 없단다. 누군가는 겨울에 크리스마스를 맞이할 수도 있고 누군가는 여름에 크리스마스를 맞이할 수도 있지. 겨울에 크리스마스를 맞이한 사람은 간혹 내 모습을 따라 더러 분장하기도 하지만 여름에 크리스마스를 맞이한 사람은 내 모습을 분장한 사람들을 좀처럼 찾아볼 수 없게 되지. 더운 날 털옷과 긴 수염을 달면 얼마나 불편하겠니, 허허. 그래서 어떤 여자들은 산타 모자에 비키니 차림으로 등장하기도 하고, 어떤 남자들은 산타 모자에 수영복차림으로 등장하기도 하지. 이처럼 크리스마스조차도 당연한 것은 어디에도 없는 거란다." 그 말을 들었을 때 나는 많은 생각이 들었어. 이 세상에 당연한 것은 없다라니. 한참을 골똘히 생각하고 있었는데 산타 할아범은 다시 입을 여셨지." 이상하게도 사람들, 아니 이 세상에 모든 것들은 너무도 쉽게 어떤 당연한 것들을 만들어내더구나. 가령 "이건 원래 그래." 라고 말한다든가, "이건 당연한 거야." 혹은 "그것은 어쩔 수 없는 일이었어." 라고 말하면서 말이지. 하지만 우리 한 번 생각해 보자꾸나. 사람들은 대게 25 일, 크리스마스가 되면 참으로 행복한 시간들을 보내게 되지. 하지만 그 날이 하루 지나고 나서 26 일이 되는 날에 사람들을 본 적이 있니? 그들의 얼굴에서는 25 일 때처럼 행복이 느껴지지 않더구나. 그냥 원래 평소를 맞이하던 하루로 돌아간 것같은 얼굴이었어. 하지만 25 일과 26 일이 다르다고 할 수 있겠니? 똑같이

24 시간이 주어지고, 똑같이 새로맞이하는 아름다운 날이잖니. 모두가 25 일은 행복해야 한다고 믿으면서 26 일에는 행복해야 한다고 믿지 않는 것은 왜일까?" 산타 할아범이 들려준 말은 참 어렵게 느껴졌어. "25 일과 26 일이 같지만 서로 다르게 느껴지는 이유는 왜일까? 그럼 이것은 과연 누가 만든 것일까? 모두가 생일에는 케익의 촛불을 불고 맛있는 음식을 먹으며 축하를 하잖니? 자신의 태어남을 기억하면서 말이지. 하지만 생일이 아니라고 해서 태어난 것을 기억하지 못 하는 건 아니잖니. 하루하루 살아가는 날이 축복일 것이고, 탄생의 연속일테니 말이다."

산타 할아범의 말처럼 이 세상에 당연한 것은 없는지도 몰라. 네가 태어난 곳, 네가 태어난 세대, 네가 만나는 부모, 네가 겪게 된 모든 일들이 어쩌면 당연하지 않을지도 모르지. 내 코도 분명 이유가 있어 그리 된 것일 거야. 네가 태어난 곳도, 태어난 세대도, 만난 부모도 마찬가지일거고. 모두가 당연하게 이뤄진 게 아니라는 말이야. 할아범의 말대로 25 일과 26 일이 과연 뭐가 다른 것이지? 생일과 생일 아닌 날은 또 도대체 뭐가 다른 거야? 크리스마스에만 행복하고 나머지 날은 행복하지 않으라는 법은 어디에도 없잖아. 또한 생일이 아닌 날에 자신이 태어난 것을 기억하고 축하하지 말라는 법 역시도 어디에도 없지. 하지만 모두가 그래. 크리스마스에만 행복하기로 약속한 것처럼, 생일에만 케익을 먹어야 하는 것처럼 생각하지. 오늘도 크리스마스처럼 행복하게 보낼지, 아니면 그냥 평소의 보통날처럼 보낼 지는 너에게 달려있어. 난 네가 오늘도 크리스마스처럼 행복하게 보냈으면 좋겠어.

**

이번 이야기는 어땠어? 이번 건 마음에 들었어? 이번 이야기는 아마 마음에 들었을 거야. 그래도 아직 조금의 이야기가 남아있어. 그 이야기를 들려주기 전에 해야할 게 있어. 우리 한 번 머릿속으로 크리스마스를 떠올려 볼까? 음, 무엇이 떠올라? 한 겨울에 흰 눈이 내리는 화이트 크리스마스? 아니면 가족끼리 난롯가에 앉아 캐롤송을 부르며 즐거운 시간을 보내는 따뜻한 크리스마스? 음, 이 두 가지에는 공통점이 하나 있어. 바로 크리스마스를 겨울에 맞이한다는 것이지. 대게 TV나 영화들을 보면 그렇잖아. <나홀로 집에>라는 영화를 혹시 알고 있니? 뭐 너무나도 유명한 영화니까 아마 한 번 쯤은 봤을 거라고 생각해. 그 영화에 나오는 주인공 꼬마가 혼자 집을 지키고 있을 때에도 추운 겨울에 펼쳐진 크리스마스 이브 때였지.

하지만 이렇게 모든 크리스마스가 모두 겨울에 펼쳐지는 건 아니야. 누군가는 여름에 크리스마스를 보내기도 하니까 말이야. 겨울에 크리스마스를 보내는 나라들과 달리 호주나 뉴질랜드, 필리핀과 같은 나라에서는 여름에 크리스마스를 보내. 그곳 사람들은 크리스마스 때에 반팔, 반바지를 입고 뜨거운 태양 아래에서 크리스마스를 보내곤 하지. 한 번도 생각해보지 않은 거라면 조금 신기한 일일 수도 있겠네.

그러면 이번에는 한번 크리스마스 트리를 한 번 떠올려 볼까? 만약 내가 너에게 도화지에 크리스마스 트리를 그려보라고 한다면 어떨까? 아마도 삼각형 모양에 뾰족한 구상나무를 그리게 될 거야. 그 위에는 노란색 별 장식을 그려 놓을 거고, 나무 주위에는 빨간색, 흰색, 금색들을 띄고 있는 온갖 장식들을 그려 놓겠지. 하지만 사막 근처에 사는 사람에게 크리스마스 트리를 그려보라고 한다면 어떨까? 아마 그 사람은 우리가 아는 크리스마스 트리 대신에 선인장을 그려 넣을지도 몰라. 그러면 뾰족한 선인장 위에 노란색 별이 놓여있게 되겠지. 어쩌면 여름에 크리스마스를 즐기는 것도 제법 신기하고 멋진 일이겠네. 대부분 겨울의 흰 눈과 함께 크리스마스를 보내곤 하니까 여름의 크리스마스는 더 특별해 질 거야. 근데 또 한번 거꾸로 생각해보면 뜨거운 여름에 늘 크리스마스를 보내던 사람은 한 겨울에 맞이하는 크리스마스가 오히려 더 특별할 지도 몰라.

크리스마스는 모두에게 주어진 선물같은 날이지. 하지만 그 선물을 어떤 포장지에 담느냐에 따라 그 모습이 조금 달라질 수도 있어. 사실 포장지보단 그 안에 내용물이 중요한 건데도 이상하게 사람들은 포장지에 더 신경을 쓰기도 하니 말이야. 크리스마스를 겨울에 보내느냐, 여름에 보내느냐는 결국 포장지에 불과한 일일 뿐이니까. 크리스마스가 바뀌는 건 하나도 없잖아. 결국 모두가 행복하게 크리스마스를 보내고 싶은 건 마찬가지니까 말이지. 선물을 어떤 포장지에 담느냐에 따라 그 선물의 가치가 변하기도 하고 혹은 선물이 어떤 포장지에 담겨있느냐에 그 선물이 달리 느껴지기도 하네, 그렇지?

얼마전 산타 할아범과 함께 <어벤져스>라는 영화를 산타 보게 되었어. 한참을 보다가 산타 할아범이 나에게 이런 말을 해주시더라고.

"루돌프야, 이 영화는 영웅들이 이겨야 행복한 것으로 끝이 나는 걸까? 아니면 악당들이 이겨야 행복한 것으로 끝이 나는 걸까?"

"산타 할아버지. 당연히 영웅들이 이겨야 행복한 것으로 끝나지 않겠어요? 너무 당연하잖아요. 영웅들이 악당들을 물리치고 평화를 가져온다는 건 어린 꼬마 아이들도 다 아는 사실이라고요."

"음, 역시 그런가. 하지만 어째서 악당들은 악당들이 되기로 한 걸까? 모든 사람들이 결국 영웅들이 악당들을 물리치고 평화를 가져온다고 생각할 텐데 왜 하필이면 영웅들이 아니라 악당들이 되기로 한 걸까?"

"그러게요, 할아버지. 그것까지는 생각해본 적이 없는걸요."

"음, 내 생각엔 말이다. 악당들은 혼자가 아니고 대게 여러 명이잖니. 그들도 결국 따르는 제 무리가 있다는 셈이 아니니. 그렇다는 것은 그 악당들이 하고자 하는 일도 의미가 있는 일이라서 모인 게 아닐 거냐는 말이다. 어쩌면 악당들이 무섭고 끔찍하게 생겨서 악당처럼 보이기도 하지만 만약에 악당들이 영웅보다 더 화려하고 멋지다면 누가 영웅인지 모르게 될 수도 있지 않겠니."

"할아버지는 늘 엉뚱한 말씀만 하시네요. 악당들이 멋지다고 해서 악당들을 응원할 사람들은 없어요."

"그렇담 이번엔 영웅들의 가족들을 한 번 생각해 보자꾸나. 영웅들은 악당들과 싸우다가 언제 죽을지도 모를 일이잖니. 그렇다는 것은 결국 영웅들의 가족들은 항상 조마조마할 것 아니니? 자신의 아버지, 혹은 자신의 남편이 언제 죽을지도 모를 일이라는 거지. 영웅들이 악당들을 물리치는 경우라면 너무나도 좋은 일이겠지만 혹여나 악당들에게 죽음을 맞이하는 날이 온다면 그 가족들은 아빠나 남편을 잃게 되는 셈이잖니."

"생각해보니 그렇네요. 영웅을 잃는 것도 너무 슬픈 일이지만 아빠를 잃는 건 더 힘든 일일 것 같아요. 하지만 결국은 악당들이 있는게 나쁜 게 아닐까요?"

"악당들이 없다면 영웅들은 과연 무엇을 하게 될까? 악당이 있기 때문에 영웅들이 더 멋져 보이는 건 아닐까? 너무 시시한 악당들과 싸운다면 영웅들이 그렇게 멋져 보이지 않을 것 같은데 말이야.

"그럴지도 모르겠네요."

영웅들이 악당들을 물리치고 결국 평화를 가져온다는 건 우리가 모두 알고 있는 사실이야. 그건 틀림없어. 그건 '왕자님과 공주님이 오래오래 행복하게 살았습니다' 와 같은 거지. 하지만 이 세상엔 당연한 것은 없다고 내가 얘기 했었잖아? 크리스마스 이야기에서처럼 말이야. 악당은 누군가의 아버지 일지도 몰라. 그럼 그 아들은 당연히 그 악당을 응원하게 되겠지. 왕자님과 공주님이 오래오래 행복하게 살았다는 건 어쩌면 거짓말일지도 몰라. 아마 결혼한 사람들에게 물어보면 분명 그 얘기는 틀렸다고 할거니까 말이야. 왕자님과 공주님은 싸우고 화해하고 싸우고 화해하고를 반복하다 서로를 이해하고 배려하면서 행복하게 살았답니다가 더 정확할지도 모르지.

아아, 또 얘기가 길어졌네. 그럼 모두 늘 크리스마스 같은 하루가 되기를 바랄께. 결국 똑같은 하루니까 말이야.

그럼 너에게 크리스마스라는 선물을 담아 26 일이 쓰여진 포장지에 담아 보낼게. 27 일에도, 28 일에도, 그 다음날, 그 다음날에도 말이야. 그러면 언제든 크리스마스 같겠지? 나는 오늘 너에게 365 개의 크리스마스를 보냈어. 그 포장지를 기꺼이 열어봐 줄래?

그럼 어제도, 오늘도, 내일도 모두 메리 크리스마스!

우리는 무언가를 보면서 세상을 이해하기 시작하는 것 같아요. 주어진 형체를 모두 다 바라볼 수 있기 때문에 거기에 이름이 붙고, 그런 단어가 한 두 개씩 만들어지다 보니 대화가 만들어지고, 나아가 그 대화를 유지할 수 있는 언어가 생기지 않았을까 하고 생각해 보았습니다.

그렇다면 보이지 않는 사람은 세상을 어떻게 받아들이게 될까요?

이 이야기는 그 의문으로부터 시작됩니다.

PUREUM

Pureum

푸 름

앞이 보이지 않는 자의 세계

1.

시각을 잃은 사람은, 하나의 감각을 잃은 대신 나머지 감각이 보다 민감해진다고 그랬다.

시각을 잃은 사람은, 하나의 감각을 잃은 대신 나머지 감각이 보다 민감해진다고 그랬다.

바라볼 수 없으니 본인의 위치를 쉽게 파악할 수 없고, 본인과 주변사이의 간격을 잴 수 없으니, 믿을 거라곤 민감한 발바닥과 부지런한 손짓, 마지막으로 스스로의 불안정한 기억뿐.

기억이라는 것은 고정되어 있지 않아 본인의 의지와 달리 제멋대로 위치를 바꾸곤 했는데, 특히 그것이 작고, 자주 사용하는 것일수록 변덕은 심해져만 갔다.

그러다 보니 최선의 방법은 스스로에게 새끼손가락을 내밀어 약속을 하는 것이었다. 물통은 항상 책상 우측

상단의 모서리에 닿을 정도에 위치시키기, 의자는 발에 부딪치지 않도록 사용한 이후에 책상 안으로 끝까지 집어넣기, 자리에 앉았을 때엔 좌측 중앙에 위치한 무선 충전기에 스마트폰을 올려두고 일어날 땐 항상 주머니에 챙기기.

처음이 어색하고 힘들 뿐이었지 반복됨에 따라 익숙해지는 것은 금방이었다. 물론 때때로 집중을 놔버렸다가 큰 코를 다치는 경우도 있었지만.

생각이 생각의 꼬리를 물며 상상의 나래를 마음껏 펼치고 있는데, 저 멀리서 이쪽으로 다가오는 기척이 들려온다. 발걸음 하나하나를 조심스럽게 내디뎠지만, 그 모습마저 감출 수는 없었다.

똑똑똑

문을 열고 들어온 상대는 이쪽을 향해 말을 걸어왔다.

"준비는 다 됐어?"

상대의 목소리에 들어있는 감정을 파악해 본다. 약간의 들뜸, 긴장, 그것을 표현하지 않기 위한 억누름, 마지막으로 감추려고 하지 않는 애정까지.

“가볼까. 아참, 팔찌 챙기는 걸 깜빡할 뻔.”

“내가 챙겨줄게.”

이쪽을 보고 있을게 분명한 그녀를 향해, 미소를 지으며 고갤 저었다.

“아니. 이건 ‘내’ 일이야.”

책상 우측 하단에는 서랍장이 존재했는데, 정확히 손을 뻗어 첫 번째 서랍을 열자 편백나무의 특유한 냄새가 콧속을 간지럽혔다.

구렁이가 담을 타듯 손가락이 서랍에 닿아있는 상태로 움직이며 안쪽을 살펴보았다. 거기엔 온통 팔찌뿐이었다.

전체적으론 비슷하지만 모양은 조금씩 다른 팔찌를 손의 감각으로 확인하면서, 색이 존재하지 않는 그것들에게 나만의 색을 입히기 시작했다.

이건 봄 하늘의 연한 그것과, 갓 태어난 병아리의 짙은

색이 꽈리를 틀며 만들어진 것. 또 다른 이것은 손바닥만 한 그릇에 먹물을 담아 눈물 세 방울만큼의 흰색을 섞은 짙은 검정과, 가스레인지를 갓 켰을 때 사라지기 직전의 따뜻한 빨강이 어우러진 것.

다른 이들의 눈에는 똑같은 색의 똑같은 팔찌로 보이겠지만, 그건 '그들이 보는 공통된 시각'으로 보기 때문이었다.

"이게 좋겠다."

마음에 드는 팔찌를 골라 왼쪽 팔목에 착용했다. 오른손을 이용해 고정되는 위치를 조절하기 시작했는데, 그 모습만 보면 마치 시계공이 아주 작은 부품을 한 곳에 끼워넣기 위해 집중을 하는 것만 같았다.

"끝났어?"

"응. 다 됐어."

자리에서 일어날 때에는 늘 조급하지 않은 것이 중요했다. 스스로가 느끼지 못했다고 하여 주변이 바뀌지 않으리라는 법은 없었기 때문이었는데, 한 번은 이를 망각했다가 날카로운 것에 두피가 찢어져 8 바늘이나 꿰매야 했으니까.

한 손은 그녀의 손을 잡고, 나머지 한 손으로는 긴 지팡이를 든 채 복도를 걸었는데. 누군가가 나를 본다면 유독 팔찌에 달려있는 작은 고리가 덜렁이는 것이 특징적일 것이었다.

그렇게 우린 집 밖을 나섰다.

2.

정적이 흐르는 가운데, 들리는 건 상대방의 손가락이 돌 사이사이를 움직이며 달그랄 거리는 소리뿐이었다.

정적이 흐르는 가운데, 들리는 건 상대방의 손가락이 돌 사이사이를 움직이며 달그랄 거리는 소리뿐이었다.

장고 끝에, 결국 상대는 흑색 바둑돌을 들었다.

따악

“N12”

시야가 보이기 않았기 때문에 상대가 둔 위치를 읽어주는 사람이 필요했고, 바둑 협회의 지원하에 옆에서 읊어주는 사람이 같이 위치하고 있었다.

N12이라.

머릿속에 존재하는 바둑판에, N12의 위치에 검은색 돌을 색칠했다. 그러자 이쪽에서 둬야 할 곳은 명확했다.

오른손을 뻗어 흰 바둑알을 하나 꺼낸 뒤 엄지와 검지 사이에 돌을 위치시킨다. 그리곤 엄지손가락을 이용해 왼팔에 달린 팔찌, 정확히는 팔찌에 달린 원형 고리에 집어넣은 뒤, 양손을 움직여 바둑판의 옆면을 훑었다.

2, 4, 6, 8, 10, 12.

옆면에 파인 홈을 이용해 세로의 위치를 특정했으니, 남은 것은 가로의 위치를 파악하여 정확하게 돌을 두는 것만 남았다.

왼손이 바둑판의 모서리까지 타고 올라가고 난 뒤에야, 오른손이 움직이기 시작했다. 이때. 엄지손가락에 걸려있던 고리가 늘어나며 소리를 만들었다.

툭, 툭, 툭, 툭, 챠르륵.

팔찌와 고리 사이에 연결된 줄은 일정한 간격마다 특정된 소리를 만들었고, 이를 통해 오른손이 정확이 어디까지 이동하고 있는지 파악할 수 있었던 것이다.

따악!

흰 돌은 N12의 우측에 위치한 O12로 이동하고선, 앞이 보이지 않았음에도 직접 보면서 돌을 둔 것처럼 정확한 위치에 놓였다.

그 대응에 결국 상대는 고개를 푹 숙이며 바둑돌 두 개를 바둑판 위에흰 돌은 N12의 우측에 위치한 O12로 이동하고선, 앞이 보이지 않았음에도 직접 보면서 돌을 둔 것처럼 정확한 위치에 놓였다. 올리며 기권을 하고 말았다.

그러자 지켜보고 있던 심판이 입을 열었다.

"흑이 돌을 던졌으므로 백이 불계승하였습니다. 서로 마주 보고… 인사!"

"수고하셨습니다." "お疲れ様でした."

경기가 끝난 뒤, 자리에 앉을 때 내려놓았던 지팡이 쪽으로 손을 뻗고선 이내 자리에서 일어났다.

지팡이를 등대 삼아 출구 쪽으로 향하는데, 출입구를 열고 들어온 누군가가 내게 다가와 팔짱을 꼈다.

말하지 않아도 알 수 있었다. 걸음을 옮길 때마다 또각거리는 구두 소리, 가까워지면서 맡아지는 향기와 체취, 내 옆구리를 파고들 때 조심스럽게 들어오는 손놀림까지.

"고생했어."

그녀가 환하게 웃고 있다고 확신했다.

"고생했긴. 이제 시작인데."

"시작으로 보기엔, 그 시작이 너무 길었던 거 아니야?"

"괜찮아. 대신 쌩쌩 달려갈 수 있는 스포츠카로 준비했으니까."

모든 준비는 완료된 상태였다.

"그동안 내가 고집을 많이 피우기는 했지?"

"잘 알고 있네? 갑자기 바둑을 한다고 했었을 때, 얼마나 당황했었는지... 결과적으론 잘 됐으니 다행이지만."

한 번도 바둑을 둬봤던 적도 없던 인원이, 갑자기 해보고 싶다고 말했으니 당연한 것이었다.

그것도 꽤 늦었다고 볼 수 있는 나이에, 앞이 보이지 않는 약점까지 갖고 있었던 터라, 단거리 경주 라인에 서서 남들과 경쟁해야 하는데 한쪽 다리가 없는 것과 마찬가지였다.

"그럼에도 믿어줘서 고마워. 길면서도 짧은 기간이었던 것 같아. 그렇지?"

"… 그렇네."

"힘들었을 땐 언제든지 내 곁을 떠날 수도 있었을 텐데."

"으이구. 그런 말 하는 거 아니야."

옆구리에서 느껴지는 작은 통증에, 그녀의 입술이 튀어나왔다는 것을 알 수 있었다.

"네가 곁에 있어줬기 때문에, 지금의 내가 있을 수 있었어. 늘 고맙고 감사하게 생각하고 있어."

"… 응."

내 귀에 들리지 않을 정도로 작은 대답이었지만, 그것만으로도 충분했다. 왜냐하면 그녀가 더욱 팔짱을 강하게 끼고 있었으니까.

"그래서… 이번에 다 공개할 거야?"

"응. 그것을 위한 도전이었으니까."

"이대로 쭉 이어나가는 것도 괜찮지 않아?"

말없이 어깨를 들썩이자 '하긴. 너는 바둑을 선택했을 때에도 그랬지'라며 칭찬인 건지 불만인 건지 애매한 말을 듣고 말았다.

"인터뷰 있다고 하니까, 얼른 나가자."

"응."

내 손에는 지팡이와 그녀가 있었기 때문에, 앞으로 나아가는 것은 두렵지 않았다.

그렇게 한걸음, 두 걸음. 천천히, 하지만 확실하게 전진하기 시작했다.

3.
한 일반 음식점.

점심시간이라 그런지 사람이 북적거리고 있었는데, 평소와는 다른 모습을 보여주고 있었다.

다들 음식을 먹으면서도 시선이 TV에 가있었기
때문이었는데. 뉴스 채널의 앵커가 단정한 차림으로 방송을 진행하고 있었다.

"어제 세계 바둑 대회 결승전에서 많은 파란이 있었습니다. 일본의 아야자키 선수와 한국 선수인 오유열 선수가 맞붙게 되었는데요. 187수째에 아야자키 선수가 돌을 던지며 끝내 한국이 올해에 우승을 거머쥐게 됐습니다."

"특히나 이번 우승은 많은 주목을 받았는데요. 맹인임에도 일반 선수와 바를 바 없는 기량을 보여주며, 끝끝내 세계 대회에 우승한 것은 바둑 역사 이래 최초이기 때문입니다. 게다가 이후에 이어진 인터뷰를 통해 충격적인 발언을 하며 많은 이들을 놀라게 했습니다. 해당 장면을 함께 시청하시겠습니다."

화면이 전환되며 인터뷰 장면이 나타났다. 어떤 기자가 바둑 선수에게 질문을 던졌다.

"우승을 할 수 있었던 특별한 비결이 있나요?"

바둑 선수는 고개를 갸웃거리며 대답했다.

"저라고 특별한 비결이 있다고 생각하지 않습니다. 그저 대국을 살펴보고, 상대방이 어떠한 수를 낼 것인지 예측하고, 그에 따른 대응책을 마련하는 것뿐이죠."

다른 기자는 이러한 질문을 던졌다.

"이전에도 나왔던 질문입니다만, 대체 어떻게 앞이 보이지 않는데도 수를 예측할 수 있는 거죠? 머릿속에 바둑판을 놓고 수를 둔다고 하셨는데, 이게 사실인가요?"

"네. 맞습니다."

"대체 그게 어떻게 가능한 겁니까? 처음부터 갖고 있던 재능이었습니까?"

다시 말해서 '실명하기 이전부터 존재했던 것이냐'라고 물어보는 것이었다.

우승자는 천천히 고개를 저으며 부정했다.

"뇌에는 시각을 담당하는 부위가 있다고 합니다만, 저는 앞이 보이지 않기 때문에 그것이 상상하는데 할당할 수 있도록 집중했습니다. 쉽게 말해서 흰 도화지에 붓을 들고 그림을 그리는 것과 같아요. 가로와 세로의 열아홉 개 선을 그리고, 바둑돌을 둘 때마다 색을 바꿔가며 동그란 색을 채우는 거죠."

"형태를 유지하는 게 가능한가요? 실제로 둔 바둑과 상상이 일치하지 않는 경우는 없습니까?"

그 말에 쓴웃음을 짓는 우승자.

"그래서 작년에 32강에서 떨어지고 말았죠."

"아아."

어느 순간 뜬금없는 수를 둠으로서 패배하게 된 경기였다.

"처음부터 유지하기가 쉽지는 않았어요. 그저 남들이 당연하게 느끼는 '시야'가 그대로 이어지는 것처럼, 저도 계속해서 도전했을 뿐입니다."

덤덤하게 말했음에도, 그 안에 치열한 노력이 담겨있었다는 것을 모르는 사람은 없었다.

이어서 다른 기자가 새로운 질문을 건넸다.

"과거 맹인 바둑대회의 우승으로 시작해 일반 세계 바둑 대회의 우승까지 거머쥐셨는데요. 프로에 입단한 이후로 줄곧 목표가 '세계 바둑대회 우승'이라고 언급하셨는데, 이를 달성하셨네요. 이번 우승으로 인해 세계 랭킹 4위가 될 것으로 보이는데, 그럼 앞으로는 1위가 되는 게 목표입니까?"

더 큰 꿈인 정상을 향해서 달려갈 것이냐는 질문이었다.

이번 대회에서도 쟁쟁한 선수를 꺾고 올라온 만큼, 이대로의 실력을 유지할 수만 있다면 세계 랭킹 1위도 불가능하지는 않을 터였다.

해당 질문에 곧장 대답하지 않던 우승자는, 내내 감고 있던 눈을 뜨며 정면을 강하게 응시했다.

그 시선의 끝이 기자들인지, 아니면 그 너머의 무엇을 바라보는지는 알 수 없었다.

"이 바둑 세계에 들어온 이후로, 제 목표는 언제나 '세계 대회 우승'이었습니다. 염원하는 것을 달성했으니, 이번 대회를 마지막으로 은퇴하겠습니다."

갑작스러운 은퇴 발언. 기자들은 당황한 듯 어수선해지고 말았다.

해당 충격에서 벗어난 한 기자가 이와 같이 묻고 말았는데.

"그러면 뭘 하려고요?"

"저요? 전 앞으로 그림을 그릴 생각입니다. 제 머릿속의 상상력은 바둑판을 그리는 것만이 끝이 아닙니다. 그것을 국민 분들에게 보여드리고 싶어요."

마치 앞으로의 일이 기대된다는 듯, 그간 무표정이던 우승자의 입가는 한껏 올라가 있었다.

4.
17살.

뉴스를 시청하면 심심찮게 볼 수 있는 교통사고로 인한 피해가 우리 가족에게 찾아왔다.

중앙선을 침범한 SUV가 그대로 우리 차량과 부딪쳤고, 그 과정에서 부모님은 즉사. 그리고 뒤에 안전벨트를 매고 있던 나는 목숨을 부지할 수는 있었으나, 유리파편 등에 의해 얼굴에 온갖 상처가 생겼고 끝내 실명으로 이어지고 말았다.

나름 행복하다고 생각했던 가정이 파괴되는 데에는 그리 긴 시간이 필요하지 않았다.

그나마 다행이라고 해야 할지는 모르겠으나 그동안 축적했던 재산과 일방적으로 상대방이 잘못한 교통사고, 그리고 혹시 몰라 들어두셨던 보험 등으로 인해 상속세를 납부했음에도 불구하고 수십억의 돈이 들어왔다.

하지만 돈이 많다고 하더라도 살아가는데 항상 옆에 있을 것으로 생각했던 소중한 사람의 빈자리는 채울 수가 없었다.

게다가 돈의 액수는 아무런 소용이 없었다. 그게 실제로 존재하는지 볼 수도 없었고, 볼 수 없기에 체감이 되지도 않았기 때문이었다.

장례식이 끝난 지 얼마 지나지 않아, 친가와 외가 쪽 전부 각자 자신들이 후견인이 되어야 한다고 주장했다.

장례식을 이어가던 와중에도, 끝난 이후에도 양보를 하는 쪽은 없었다. 마치 절대로 포기하지 말아야 할 이유가 있다는 듯이.

주먹만 오고 가지 않았을 뿐이지 서로 간의 감정골이 한껏 깊어져서 그들은 더 이상 상대를 친척으로 취급하지도 않았다.

갑작스러운 사망으로 인해 유언이 있을 리가 없었고, 결국 중요한 것은 내가 누굴 선택하는지가 관건이었는데. 그들 사이에서의 승자는 아무도 존재하지 않았다. 선택한 사람은 다름 아닌 생전 부모님이 살아계실 때 자주 놀러 왔던 삼촌이었다.

그가 후견인으로서 나를 잘 돌봐줄 수 있을 거라는 생각에서 고른 건 아니었다. 다만 그를 자주 봤기 때문에 사람이 어떤지 정도는 알고 있다는 생각이 들었고, '대부분의 재산을 신탁할 생각인데 후견인이 되어줘요. 그러면 삼촌한테 5천만 원을 드릴게요.'라며 제안한 것을 수락했기 때문이었다.

그 결과 나에게 간이고 쓸개고 다 줄 것 같던 양가 조부모님은 '벌주를 마다하고 굳이 제삼자나 다름없는 삼촌을 골랐다고? 후견인이 생겼으니 어디 한 번 알아서 잘 살아봐라.'며 모습을 감추셨다.

시간이 좀 지나 미성년 후견인이 된 삼촌은 열심히 수소문을 하여 나름 유명하다는 증권사 직원을 데려왔다.

계약서를 작성하여 대부분의 돈을 신탁했는데, 나에게 돈을 받은 삼촌은 희희낙락하며 공돈이 생겼으니 해외여행을 다녀올 거라며 웃음을 감추지 못했고, 인천공항에서 비행기를 떠나기 전에 연락이 한번 왔다.

그렇게 나는 병원에서, 철저하게 혼자가 되었다.

5.

시간이 지날수록 지니고 있는 아픔은 사라질 거라고 생각했다. 부모님을 상실한 아픔. 그리고 더 이상 앞을 보지 못하는 아픔.

그것은 반은 맞고 반은 틀렸다는 것을 깨달았다.

가족의 상실로 인한 고통은 바다가 밀물일 때 천천히 줄어드는 것처럼 본인도 깨닫지 못하는 사이 서서히 줄어들고 있었건만. 오히려 시각을 잃게 된 상실감은 시간이 지나면 지날수록 커져만 갔다.

맹인은, 혼자서 아무것도 할 수 없었다. 화장실을 가는 것도, 밥을 먹는 것도, 씻는 것도, 쓰레기를 버리는 것도 전부.

하물며 무언가에 기대지 않고 홀로 서는 것조차 힘들다는 것을 깨달았을 때, 상실로 인한 분노로 인해 온몸이 부들부들 떨리곤 했다.

'교통사고가 나기 직전에 대처를 좀 더 잘했어야지! 그러면 내가 이렇게 시야를 잃을 필요가 없었잖아!'

분노가 잠시 가라앉자, 부모님의 목숨보다 내 두 눈을 훨씬 걱정했다는 사실을 이내 깨달았다.

그런 내 자신이 너무나도 역겨워졌고, 끝내 이불에 토를 하고 말았다.

그렇게 본인도 모르는 사이, 나는 점점. 그러나 서서히 하강하고 있었다. 부모님을 여의었으나 그로 인한 고통이 줄어드는 것과 마찬가지로. 침잠하듯 가라앉는 것 또한 물 흐르듯 자연스러웠다.

6.
시각을 잃는 것과 동시에, 삶의 재미가 사라졌다.

만화를 읽는 것. 영화를 보는 것. 유튜브나 넷플릭스를 통해 매일같이 수많은 콘텐츠가 속속들이 등장하고 있음에도, 나는 그것을 즐길 수 없었다.

그나마 책은 TTS를 통해 들을 수 있었지만, 재미도 없을뿐더러 무슨 내용인지 머릿속에 하나도 들어오질 않았다.

하루가 너무나도 길어서 취미를 찾기 위해 노력했지만, 노력할수록 즐길거리가 극도로 줄어들었다는 사실만 재차 확인할 수 있을 뿐이었다.

특히 언어의 장벽은, 결코 넘을 수 없을 것 같은 거대한 벽과 같았다. 예전에 재미있게 봤던 영화인 쇼생크 탈출(아버지가 좋아하셔서 몇 번이고 봤던 것을 같이 보게 되면서 좋아하게 됐다)을 소리로나마 되새길 겸 틀어봤었는데, 무슨 상황인지도 파악이 안 되는 현란한 영어로 인해 10분도 채 가지 못하고 중단하고 말았다.

그리곤 확신했다. 쇼생크의 주인공은 끝끝내 탈출을 할 수 있었지만, 내 시야는 평생 되찾을 수 없고, 그러니 이 고통의 탈옥도 영영 불가능할 것이라고.

7.

그녀는 오늘도 병실에서 멍 때리고 있는 나를 찾아왔다.

"요즘 귤이 맛있더라. 집에 있는 거 몇 개 챙겨 왔어."

"…"

"귤 다 깠어. 되게 잘 익었는데, 한번 먹어볼래?"

"됐어."

"그러지 말고. 기운 없을 때엔 맛있는 걸 먹으면 나아지더라구. 자, 아-."

입술 끝에 닿은 차가운 것이 귤이라는 것을 깨달았다. 먹고 싶다는 생각은 손톱만큼도 없었지만, 그랬다간 귤에게 내내 입술을 허용하게 된다는 것도 알고 있었다. 계속 실랑이를 벌이느니 차라리 먹는 것이 나았다.

입을 벌려 귤을 받은 뒤, 그것들을 이빨로 짓뭉개며 터져 나오는 과즙이 혀에 닿으며 맛이 느껴졌다.

신 맛이 났지만 같이 느껴지는 단 맛으로 인해 거부감이 상쇄되며 혀의 감각들을 마구 유린했다. 마치 귤이 태어난 이유는 새콤달콤한 맛을 사람들에게 전파하여 즐거움을 선사하기 위한 것만 같았다.

“어때? 맛있지?”

“... 그럭저럭.”

“에이, 거짓말. 너 표정은 안 그런데?”

“착각이겠지.”

이쪽에서 계속 밀어내는데도, 왜 자꾸 다가오려는 걸까.

단순한 동정심? 아니면 나를 좋아하기 때문에? 아니, 그건 절대 아닐 것이었다. 주변의 부축이 없으면 제대로 걷지도 못하는 병신을 대체 누가 좋아해 준단 말인가.

게다가 내 자신을 볼 수 없었지만, 내 얼굴이 상처에 의해서 꽤나 망가졌다는 것 정도는 알 수 있었다. 손 끝에서 느껴지는 흉터들은 결코 잠시 머물다가 사라질 것이 아니라는 것도 알았다.

“볼 일 다 봤으면 돌아가.”

"볼 일? 너 만나기 전에 이미 하고 왔어. 손도 잘 씻고 나왔으니까 걱정하지 마."

"그걸 얘기하는 게 아니잖아."

핀잔을 줘도 그녀는 듣는 둥 마는 둥 했다.

그녀를 처음 마주한 것은 중학교 1학년 때였다. 첫 학기가 시작되고 얼마 지나지 않아 반장 선출을 하게 됐었는데, 초등학교 때 반장을 해봤던 경험이 있었기 때문에 자신 있게 손을 들며 후보로 나섰다.

"... 저를 뽑아 주신다면 최선을 다해서 원활한 학급이 운영되도록 노력하겠습니다."

투표지를 공개하자, 5명의 후보 중 나와 다른 남학생의 이름이 번갈아가며 박빙을 다퉜다.

두 표 차이로 앞서가고 있어서 당선이 되나 싶었는데, 막판에 상대방의 이름이 치고 나오면서 아쉽게 반장에서 떨어지고 말았다.

"다음으로 부반장을 뽑을 건데, 하고 싶은 사람?"

부반장은 반장만큼 권위가 있지도 않으면서 잡다한 일은 같이 도맡아서 할 것이라는 분위기가 있었다. 그래서 다들 꺼려했지만 아쉽게 떨어진 나로선 뭐라도 맡아야겠다고 생각했다.

"그래. 유열이. 혹시 또 나서고 싶은 사람은 없어?

나 혼자만 손을 들었기 때문에 투표 없이 부반장이 되려는 순간, 누군가가 손을 들었는데. 다름 아닌 그녀였다.

"음... 두 명이니까 나와서 자기소개랑 다짐을 말하는 것으로 하자."

첫 번째로 나온 나는 간략하게 소개를 했다. 이미 한번 나와서 말한 것을 두 번 말하고 싶지는 않았으니까.

하지만 내가 부반장이 될 것이라는 것은 확실했다. 왜냐면 이쪽이 아쉽게 반장에서 떨어졌다는 것을 다들 알 것이기 때문이었다. 그러니 동정표가 됐든 응원표가 됐든 압도적인 결과가 나오는 것은 당연했다.

예상은 완벽하게 적중했다. 그 압도적인 결과의 이름이 내가 아니었다는 것만 제외한다면.

그 당시에 받는 부끄러움은 형용하기 어려울 정도였다.
게다가.

"유열이는... 그래. 서기를 맡아줄래?"

이쪽에서 원하지도 않았음에도 선생님은 굳이 나에게
서기라는 짐을 안겨주었다.

그렇게 그녀와의 악연은 시작되었다.

8.

대부분의 시간을 병실에서 편하게 누워있거나 앉아있음에도
수분이 빠진 나무처럼 앙상해지는 것을 그대로 지켜볼 수는
없었는지, 병원 측에선 매일 꾸준히 걷는 시간을 반강제로
부여했다.

걸을 때에는 곁에 있어줄 사람이 필요했는데, 간호사 같은
병원 관련자가 매번 내 곁에 있어줄 수는 없는 법이었다.

하지만 나는 생활하는데 불편함을 느꼈던 터라 돈을 써서

도우미를 고용하게 됐는데, 이것이 오히려 독으로 작용해서 매일 걸어야만 했다.

탁, 탁탁탁.

지팡이로 주변에 방해될만한 요소가 없는지 끊임없이 확인하는 것이 필요하다.

내가 서있는 위치가 병원 옆에 붙어 있는 공원이라는 것은 인지하고 있었지만, 그게 나에게 위로가 되진 않았다. 그것을 알고 있다고 한들, 내 주변이 어떤 식으로 꾸며져 있고 어디로 나아가야 되는지를 알려주지는 않았으니까.

이럴 때마다 도우미가 옆길로 새지 않도록 도와줬는데, 때때론 다른 인물로 대체되곤 했다.

"약간 왼쪽으로 가고 있어서 옆으로 조금 틀어야 돼. 어어. 그건 너무 틀었는데."

"..."

대체 그 조금이라는 것은 얼마만큼을 뜻하는 것일까. 설령 그것을 명확하게 규정한다고 한들, 내가 그것에 맞춰서 잘 움직일 수 있는 것도 아니었다.

"내가 도와줄까?"

여기서의 도움은 '팔짱을 끼고 정확한 방향으로 갈 수 있도록 인도해 주는 것'을 의미했다.

"아니, 됐어."

고작 이런 걸로 남에게 도움을 받고 싶지 않았다. 두 다리가 멀쩡한데도 혼자서 제대로 걸을 수 조차 없다면, 과연 그걸 살아있다고 봐야 될지 몰랐기 때문에.

그래도 매번 나와서 걷기 연습을 한 덕분인지, 나름 앞으로 잘 나아갈 수 있었다.

쭉 나아가던 도중, 지팡이 끝에 무언가가 걸렸음을 인지했다. 조금 더 다가가 이곳저곳을 쑤셔보니 막다른 길에 도착했다는 것을 깨달았다.

"잘 도착한 거 맞아?"

그녀가 해당 공원을 말로 설명해 준 적이 있었는데, 기다란

도넛 모양의 길이 메인 도로라고 했다

그래서 내 목표는 한 바퀴를 쭉 돈다음, 출발했던 지점으로 돌아오는 것이었다.

“완벽하게 도착한 건 아닌데, 이 정도면 성공적이야.”

“내 성공을 왜 네가 판단하는데.”

“원래 채점도 남이 해주는 게 맞는 거거든? 이제 끝난 거지? 아니면 산책 좀 더 할 거야?”

혼자 걷는 것은 옆에서 도와줘서 걷는 것과는 비교도 할 수 없을 정도로 힘들었다. 내가 제대로 갈 길을 가고 있는 건지, 아니면 현재 서있는 위치가 정말 내가 생각한 것과 동일한 곳인지 확신을 할 수 없었기 때문이었다.

“이 정도면 된 것 같아.”

“좋아. 그럼 우리 돈가스 먹으러 가자! 병원 근처에 내가 맛있는 가게 알아놨어.”

그녀는 자연스럽게 팔짱을 끼더니 조심스럽게, 하지만

확실한 방향을 향해서 걷기 시작했다.

이때의 내 표정은 화가 난 건지, 아니면 슬픈지, 아니면 기쁜 건지 알기 어려웠다.

9.

"서기. 방금 수업 선생님이 출석부에 싸인 안 하신 것 같은데, 교무실에 가서 받아올래?"

"내가 왜?"

"그게 서기의 역할이니까."

"나는 서기를 하겠다고 한 적 없어. 뭐든 열심히 하겠다는 니가 갔다 와."

"뭐? 아니... 상관없기는 한데, 선생님이 좋게 안 보실걸? 너 그러다가 서기 잘리면 어쩌려고."

"잘리든가 말든가."

반장만큼은 아니지만 부반장도 일종의 타이틀이 될 수는

있었다. 하지만 그 누구도 '나 초등학교 몇 학년 때 서기를 맡았어!'라고 말하지는 않았다. 서기는 타이틀조차 될 수 없는 직책인 것이었다.

그런 주제에 부반장보다 신경 써야 할 것이 오히려 많게 느껴졌다. 더군다나 하고 싶다고 자진해서 한 것도 아니다 보니, 나에게 서기는 짐덩어리 그 이상도 이하도 아니었다.

"그럼 내가 간다? 담임 선생님이 뭐라 해도 난 모른다?"

"어. 맘대로 해."

맡은 역할의 태만은 잘리는 것으로 끝날 거라 생각한 내 판단은 적절하게 들어맞았다. 다만, 그 여파까지는 미처 생각이 닿지 못했는데.

"오유열. 너는 서기를 맡았으면서 그걸 왜 부반장한테 역할을 전담하는 거지? 내가 몇 번이나 지켜봤는데 도저히 고쳐질 것 같지 않네. 그딴 식으로 할 거면 처음부터 하질 않겠다고 말하든가? 관둬라, 그냥. 부반장, 네가 좀 더 고생해 줄래?"

"... 네. 선생님."

나를 따로 호출하는 것이 아니라 반 학생이 전부 보는 앞에서 대놓고 저격하며 핀잔을 줬던 것.

그리고 틈만 나면 '서기를 할 때부터 알아봤다. 그렇게 책임감이 없어서야.'를 시전 하며 대놓고 면박을 줬고, 그것이 알게 모르게 작용했는지 점점 반 친구들로부터 외면받기 시작했다.

담인 선생이 의도했든 의도하지 않았든 나를 왕따 시킨 셈인데, 그게 무조건 나쁜 결과로만 작용한 것은 아니었다.

나는 어떤 식으로든 그걸 내 식으로 복수하고 싶었고, 선택한 것이 바로 공부였으니까.

초등학교 때에도 반에서 십 등 안에 들 정도로 적당히 점수가 잘 나왔던 편이었지만, 복수라는 명확한 동기가 생기자 그때부터 미친 듯이 공부를 하기 시작했다.

학교가 끝나고 집으로 왔을 때에도 게임이나 영상 시청을 하지 않고 교과서를 폈을 정도니까.

결국 중간고사는 반에서 3등. 기말고사는 반에서 1등,

전교로 봤을 때에도 5등을 하면서 '나는 게을러서 서기를 하지 않은 게 아니고, 그냥 하고 싶지 않아서 서기를 하지 않았을 뿐이다'라는 것을 직간접적으로 증명했다.

그때의 노력이 거름이 되어줬는지, 2학년이 됐을 때에도 내 등수는 늘 상위권에 위치했다. 놀고 싶을 때 놀았음에도 말이다.

그렇게 악연이자 한편으로는 고맙다고 봐야 될 대상인지 애매한 그녀를 다시 마주하게 된 것은, 중학교 3학년으로 올라가면서였다.

10.

아이가 세상에 눈을 뜬 이후 하나둘씩 배워가는 것처럼, 나도 하나의 감각이 없는 상태로 살아가는 법을 하나둘 씩 배워가기 시작했다.

앞이 보이지 않아도 서서 균형을 유지하는 법, 주변을 살피면서 나아가는 법, 한번 돌아다닌 장소를 나의 보폭에 맞춰서 다시 재구축하는 법 등 시각으로 확인하던 것들을 다른 감각으로 대체하기 시작했다.

과거에 비해 음성 지원이 수월해졌다곤 하지만, 알아둬서 나쁠 것이 없다는 판단(그 판단엔 그녀의 설득이 컸음을 인정할 수밖에 없다)에 한글 점자를 배우기 시작했다. 또한 라디오나 오디오 북을 들으며 앞이 보이지 않더라도 세상엔 얼마든지 즐길 것이 많다는 것을 인정하게 됐다.

그러는 과정 속에서 나의 감각들은 이전과는 다른 깊이를 갖기 시작했다. 발걸음으로 사람을 구분할 수 있게 됐고, 냄새를 통해 음식의 기댓값을 보다 상세히 추측할 수 있게 됐으며, 맛이라는 것이 삶에서 얼마나 큰 부분을 차지하는지를 깨달았다.

하지만 그 무엇보다도 큰 변화는, 내 상상력에 있었다. 콘텐츠를 소리로만 들으면서, 그것이 어떻게 표현되고 있을지 머릿속으로 계속 그리기 시작했던 것.

처음에는 단순한 숫자를 떠올리기에도 벅찼지만 노력이 반복될수록 그 범위가 늘어나기 시작했으며, 기어코 어둡기만 한 세상에 색채를 입힐 수 있었다.

내가 떠올린 색이 실제 색과 동일한지의 여부는 중요하지 않았다. 오직 내 삶엔 깜깜한 어둠만이 있을 거라는 절망에서 벗어났다는 것, 그것만으로도 족했다.

"무슨 생각을 그렇게 해?"

선선해진 날씨와 흩날리는 바람 속에서 느껴지는 그녀의 체향으로 인해 지금이 가을이라는 것을 새삼 깨달았다.

"그간 있었던 일. 벌써 이곳에 입원한 지도 일 년 정도 된 것 같아서."

"어... 그러네! 1주년이니까 파티, 기념 파티라도 할까?"

"됐어."

밀어내기도 하고, 화를 내기도 했으며, 침묵을 유지하거나, 물건을 집어던지거나, 눈물을 흘리며 약한 모습을 보여줬음에도 그녀는 나의 곁에 있어주었다.

그리고 이젠, 그녀가 내 곁에 없는 삶은 상상조차 할 수 없었다.

"있잖아."

"응?"

"궁금한 게 있어."

"뭔데?"

그녀가 고개를 돌려 내 쪽을 쳐다보고 있다는 확신이 들었다.

"이제는 대답을 들을 수 있을 것 같아. 처음 병원에 방문했을 때, 네 마음은 어땠어?"

서로가 서로를 깊이 신뢰하고 있기 때문에 할 수 있는 질문이었다.

"오래전 일이라 기억이 잘 안 나는데... 좋아하고 있었을 거야."

"정말로?"

"... 왜 궁금한데."

"내가 그 난리를 피웠는데, 단순히 좋아하는 마음만 있었다면 진작에 떠났을지도 모른다고 생각했으니까."

지금 생각해 봐도 그 당시의 나는 제정신이 아니었다.

의지할 사람이 사라진 것으로도 모자라, 어쩌면 인간에게 가장 중요하다고 볼 수 있는 시각을 잃어버린 상실감은 날이 지날수록 스스로를 좀먹고 있었으니까.

"뭐... 그땐..."

그녀의 목소리에서 망설임과 슬픔이 느껴졌다.

"맞아. 너 말처럼 그때의 나는 일종의 죄책감을 갖고 있었어. 내가 너에게 여행 추천 장소를 말해주지 않았더라면, 어쩌면 그 사고를 피할 수도 있었을 테니까."

"아아."

그녀는 자신이 갔다 온 여행지가 괜찮았다며 나에게 계속 어필했고, 그 이후에 부모님에게 해당 장소로 여행 가고 싶다고 졸라서 가던 도중 사고가 발생했기 때문이었다.

"절망에 빠진 너를 목격했을 때, 최소한 그 구렁텅이에서 벗어날 때까지는 도와줘야 된다고 생각했어. 그게 나에게 주어진 책임이라고 봤고."

"그건... 네가 책임질 일은 아니었어."

"아니. 내가 괜히 그 장소를 추천하지만 않았더라면..."

그녀가 침울해지는 것을 막기 위해, 나는 다른 주제를 꺼내기로 했다.

"그럼 내가 좋아진 것은 언제부터야? 겨울에서 봄으로 넘어갈 때 즈음?"

"어, 그거...? 아마도... 때부터."

워낙 작게 말한 탓에, 내 귀에도 들리지 않았다.

"잘 안들렸어. 크게 말해줄래?"

"크게 말해줄래?"

"그때? 정말로?"

뜬금없이 중학교 시절이 언급되자, 당황스럽기 그지없었다.

아마 내 표정에도 그대로 드러났을 것이었다.

“아, 정말!! 이래서 말하기 싫었던 거라고!”

“어떻게 좋아하게 된 건데? 그때 나는 네가 말을 걸어도 대답조차 하지 않았을 텐데.”

이쪽이 왕따가 된 원인 중 하나가 부반장이라고 생각했기 때문에, 그 당시에 나는 그녀를 철저하게 무시하고 다녔었다.

“솔직히 나도 잘 모르겠어. 처음엔 나도 네가 마음에 들지 않았거든. 서기라는 역할을 담당하게 됐으면서 제대로 신경은 쓰지도 않고, 그것 때문에 내 할 일만 늘어났잖아.“

“그런데 왜?“

“보채지 마! 이왕 이렇게 된 거 다 말할 거니까! 어쨌든 나도 너에게 썩 좋은 마음은 없었어. 근데 그때 선생님이 너를 공개적으로 몰아갔을 때에, 그건 아니라고 생각했거든. 하지만... 그땐 아무런 행동도 할 수 없었어. 그게 틀린다는 것을 알면서도 선생님의 눈 밖에 벗어나는 행동을 해선 안된다고 여겼으니까.”

"응."

"그 이후에 너는 반에서 혼자가 됐고, 그래서인지 나는 네가 계속 신경 쓰였어. 그런데 너는 그 상황에서 엇나가는 대신 미친 듯이 공부를 하더라. 선생님한테 한방 먹이려고 그랬던 거 맞지?"

"어. 그랬지."

"그걸 성공하는 네 모습을 보면서, 조금은 멋지다고 생각했어. 아마... 그때부터 좋아하게 된 것 같아."

"그러면 너, 나를 되게 오랫동안 짝사랑 했던 거네? 햇수로만 따지면 중학교 1학년부터, 고등학교 2학년까지..."

"아아! 안 들려, 안 들려!!"

문득 낙엽 하나가 우연히 내 손등 위에 떨어짐을 느꼈다.

이 가을이 지나면 곧 겨울이 찾아올 것이었다. 내 마음도 한차례의 겨울이 왔었다. 그리고 그 겨울이 영영 끝나지 않을 것이라 생각했다.

하지만 겨울의 끝은, 존재했다. 소복이 쌓인 눈이 어느 순간 따스한 햇살로 인해 땅에 스며들고, 그 아래에 숨어있던 새싹이 하나둘씩 고개를 내밀게 된다는 것을, 이제는 안다.

그녀는 내게 말했다.

“나. 작가가 되고 싶어.”

“왜?”

“책 읽는 것을 좋아하니까, 취미를 살릴 겸 글을 써볼 수도 있겠다 싶어서. 그리고 작가는, 회사에 출근하지 않아도 되잖아? 그러면 너랑 떨어져 있을 필요도 없구.”

전자보다는 후자의 이유가 더 크게 작용했을 것 같다는 생각이 들었다.

나는 그녀의 다짐을 들으며, 나 또한 내 다짐을 그녀에게 들려주었다.

“그러면 나는, 너의 글을 그림으로 그릴 수 있는 만화가가 되어줄게.”

"... 뭐? 어떻게?"

"글쎄. 할 수 있는 방법을 찾아봐야겠지. 그리 불가능할 것 같다는 생각도 들지 않아. 다만 내 상상을 뚜렷하게 잡아줄 수 있는 연습이 필요하겠네."

"상상을 뚜렷하게 잡는 연습? 좋은 방법이 있을까?"

한참을 고민한 끝에, 하나의 결론에 이르렀다.

"바둑. 바둑을 배워보고 싶어."

잘할 수 있을지, 없을지는 모를 일이었다. 하지만 시도하지 않으면 그 결과를 알 수 없고, 도전하지 않는다면 아무것도 이룰 수 없다는 것 정도는 이젠 알고 있었다.

그러니 한번 도전해 볼 생각이었다. 그 끝이 어디로 이어지든지 간에.

그렇게 나는 앞을 볼 순 없었지만, 내 미래를 향해서 한 발자국 내딛기 시작했다. 보다 확실하고 뚜렷한 방향으로.

&

8을 길게 그리다보니 &(And)가 보였습니다.

보통 어떤 단어와 단어를 연결할 때 사용하죠. 저는 타인과 타인을 연결짓는 것을 좋아합니다. 그래서 소설 속의 '나'와 당신을 잇고 싶었습니다. 당신의 사랑, 그리고 '나'의 사랑을요.

당신의 사랑은 모두 이루어졌나요?

누구나 어쩔 수 없이 사랑을 이루지 못한 경험이 있을 겁니다. 그게 어떤 이유였던 간에요. 저는 당신이 이 글을 읽으며 잊혀뒀던 지난 사랑의 모습을 떠올렸으면 합니다.

낯선 당신과 '나'의 이유가 다르더라도 우리가 바랬던 사랑은 모두 같은 모양이었을 테니까요.

NADE

Nade

네 이 드

해 도둑

일화를 처음 본 건 2018년 7월의 끝자락 즈음, 무더위와 함께 여름 계절학기가 시작되던 날이었다. 알람을 잘못 설정한 탓에 예상보다 일찍 눈이 떠졌고 다시 잠들기에는 애매한 시간이라 침대에서 일어나 나갈 준비를 한 뒤에 일찍 학교로 향했다. 도착한 강의실에는 아무도 없었고 벽에 몸을 기댈 수 있는 오른편에 자리를 잡아 함께 수업을 듣기로 한 우주를 기다렸다. 수업 시간이 다가오니 강의실에 점점 자리가 찼다. 우주에게 어디냐고 물으려 휴대폰에 손가락을 가져다 대자, 익숙한 목소리와 함께 왼쪽 얼굴에 그림자가 졌다.

“ 들레, 여기는 어제 내가 얘기했던 일화야. 인사해. ”

우주의 목소리에 고개를 들어 본 일화의 첫 모습은 너무도 눈이 부셨던 걸로 기억한다. 창을 등지고 서있어서 그런지 그 모습이 환하게 빛이 나서 얼굴도 제대로 보이지 않았다. 그때 내게 어떤 표정을 지었는지 모를 정도로. 짧게 인사를 마친 뒤 우주는 내 귓가에 작게 속삭였다.

“ 일화도 우리랑 같아. ”

일화는 우주와 같은 과동기였다. 일화에 대해 아는 것이라고는 정정기간에 급하게 수강신청을 하려다 운이 좋게 한자리가 나서 함께 강의를 듣게 되었다는 것뿐이었다. 그것도 어제 저녁에 짧게 말해준 게 다였는데, 우리랑 같다니. 아주 핵심만 쏙 빼놓고 말했었네.

졸업학점이 살짝 모자란 탓에 듣게 된 계절학기 수업은 ‘창작 시 쓰기’였다. 딱히 시에 관심이 있어서 넣은 것은 아니고 학점을 B- 이하로는 주지 않는다는 평에 넣게 된 수업이었다. 비록 매일 시 쓰기 과제가 있고, 파이널로 창작 시 발표하기가 60%를 차지하기는 했지만, 시험을 보지는 않으니 비교적 만족스러운 선택이었다.

[점심 뭐 먹을래? 일화는 오늘 약속 있대.]

첫날인데도 수업을 하는구나. 계절학기여서 그런가. 생각보다 더 지루한 강의 시간이 끝을 보일 때쯤, 연달아 울린 우주의 문자를 보며 점심으로 뭘 먹으면 좋을지 생각을 하다 대각선 앞에 앉아 있는 일화를 보았다. 가볍게 어깨를 스치는 검은 생머리, 가는 팔과 허리가 돋보이는 짧고 얇은 흰색 티, 그리고 몸에 달라붙은 연한 색의 청바지. 얼굴은 어땠더라. 수업이 끝난 뒤 자리에서 일어선 일화는 나와 우주에게 가볍게 인사를 한 뒤 순식간에 사라졌다. 결국 그날은 일화의 얼굴을 제대로 볼 수 없었다.

" 일화, 예쁘지. "

눈은 음식을 향한 채 숟가락만 움직이며 말하는 우주의 말에 나는 젓가락 질을 멈췄다. 얼굴이 어땠더라. 떠올려도 보이질 않아, 사실 잘 못 봤어.라고 말하려다 그냥 고개를 살짝 끄덕이고 젓가락을 마저 움직였다.

" 근데, 걔는 이미 있어. "

우주와 점심을 먹은 뒤 내일 보자는 말을 하고 곧장 집으로 돌아갔다. 옆집이 훤히 보이는 창문 탓에 네이비색 암막 커튼을 달았더니 해가 가장 위에 떠있을 시간에도 우리 집은 늘 밤이었다. 그렇다고 집에 올 때마다 우울해지거나 공허해지지는 않았다. 단지 새벽처럼 생각이 좀 더 많아졌을 뿐이었다.

옷을 갈아입고 과제를 하려 책상 앞에 앉았다. 커서만 깜빡이고 있는 빈 워드 창을 보다가 문득 우주가 했던 말이 생각났다. 아직 얼굴도 잘 모르는데 호감도 가져보기 전에 차였네. 수업 시간에 슬쩍 봤던 일화의 뒷모습을 떠올리다 키보드에 손가락을 올렸다.

그의 얼굴은 잘 기억나지 않지만

그는 분명 '해'를 가졌다.

*

오랜만에 밖에 나서자며 이태원 쪽에 새로 생긴 클럽에 가자는 우주의 연락에 모처럼 온몸을 꾸몄다. 역 앞에서 만난 우주와 토요일 밤에 모여 있는 인파를 뚫고 골목들을 하나하나 지나쳤다. 사람들이 점점 줄어드는 것을 느끼자 우주가 여기쯤인데.라고 말했다. 뜬금없는 시멘트벽 앞에서 옆 건물 지하에 핑크색으로 빛나는 작은 하트가 그려진 네온사인을 보았고 여기다.라고 외친 우주의 말을 따라 자욱한 연기를 지나서 입구로 들어섰다.

클럽 안에는 사람이 꽤 많이 차 있었다. 짧은 머리, 긴 머리, 딱 달라붙는 옷, 펑퍼짐한 옷. 스타일은 대비되어도 이곳에 남자는 없었다. 생각보다 괜찮다고 느꼈던 나와는 달리 나름 이곳저곳 많이 돌아다녔던 우주는 자신이 기대했던 것과는 다른 지, 마음에 들지 않는 듯한 떨떠름한 표정으로 바에 기대어 주위를 둘러보다 술을 주문했다.

" 일화다. "

그래도 좁디좁은 이 세계에서 새로운 인연을 찾아보겠다며 한참을 두리번대던 우주는 저 멀리 화장실 쪽에서 담배를 피우고 있는 누군가를 가리키며 말했다. 그때 일화의 얼굴을 처음으로 볼 수 있었다. 조명이 닿지 않아도 돋보이는 사람. 흰색 원피스를 입어서인지는 몰라도 유독 밝게 비춰지는 사람. 왜 인지는 모르겠지만 밤과는 그다지 어울리지 않는 사람. 내가 본 일화의 두 번째 모습은 그러했다. 일화는 우주와 나를 보지 못한 채 옆에 있던 누군가와 귓속말을 나누다 이내 클럽 밖을 나섰다.

그런 일화를 본 우주는 다시 고개를 한번 쓱 돌더니 노래도, 사람도, 공간도 다 별로라며 우리도 나가자고 말했다. 나와 우주는 남은 술을 입에 다 털어놓고 뭉쳐있는 사람들을 지나쳐 문밖으로 향했다. 나는 같이 가자는 우주의 말을 뒤로하고 빠르게 계단을 올라갔다. 다시 봐도 어색한 시멘트 벽 앞까지 오르자마자 좌우로 고개를 돌렸다. 일화는 그 짧은 시간에 흔적도 없이 사라졌었다.

*

" 들레 맞지? "

강의실에 앉아있던 내게 먼저 얼굴을 비친 건 일화였다. 오늘은 창가 쪽에 앉아있어서 그런지 일화의 얼굴이 더 선명하게 보였다. 밝은 곳에서 본 일화는 이전과 다르지 않았다. 어디에서건 여전히 빛이 나는 사람이었다.

우주는 전 날 과음을 한 탓에 자체 휴강이라고 연락을 했다. 그 탓에 일화와 나란히 앉아 수업을 들었다. 한참 수업을 듣다가 괜히 일화를 보고 싶었다. 슬쩍 보기에는 너무 티가 날 것 같고, 그렇다고 대놓고 보기에는 이상한 취급을 받을 것 같아서 그냥 포기하고 수업에 집중하기로 했다.

일화가 함께 점심을 먹자고 말했다. 일화는 풍기는 이미지처럼 밝은 성격을 가졌었다. 나와 걷는 내내 입가에 웃음이 끊이질 않아서 나 또한 덩달아 웃게 만들었다. 자신의 이야기를 하다 나에 대해 묻기도 했고, 공통점을 찾으면 반가운 듯 톤을 높였다. 일화는 따뜻한 사람이구나. 밥을 다 먹었음에도 일화와의 이야기가 끊이질 않았다. 대화는 자연스럽게 카페로 이어졌고 한참을 그곳에 있었다.

일화는 수저를 리본 모양으로 접은 휴지 위에 올려두는 것을 좋아했고, 달콤한 맛 팝콘과 오징어를 함께 먹으며 영화 보는 것을 좋아한다 했다. 또 술을 마실 때는 주로 맥주를 마시고 소주는 그다지 좋아하지 않는다고 했다. 피망과 가지를 싫어하고 집에서 혼자 심심하게 있는 것을 싫어한다고도 했다. 일화는 나와 다른듯하면서도 비슷한 점이 많았다. 그래서일까, 다른 사람이었으면 하루만에 얻은 그에 대한 정보에 체했을 게 분명한데, 이상하게 거북하지 않았다. 오히려 잃어버린 소울메이트를 찾은 느낌이어서 기쁘기까지 했다. 일화를 또 만나고 싶었다.

“ 나 없는 새에 금방 가까워졌네. ”

주말 동안 과제를 함께 끝내기 위해 만난 우주에게 일화와 만났던 이야기를 했다. 조금은 들뜬 목소리로 일화에 대해 이야기를 하는 내 모습을 보던 우주는 금세 음료를 다 들이켜고 나서 내게 말했다.

“ 이전에도 말했지만, 친구로만 지내. ”

그냥 친구 맞아. 우주의 말에 순간 나도 모르게 퉁명스럽게 답을 하고 말았다. 얼굴이 조금 달아오르는 듯했다. 지켜보고 있다는 듯한 우주의 눈을 피해 괜히 남은 음료를 빨대로 휘저었다. 샤워를 하면서도, 잠에 드려는 순간에도 우주의 목소리가 귓가에 울리는 것 같았다. 우주의 말을 잊고 싶었다.

*

[오늘 뭐 해?]

그날 이후로 일화와 둘이 보는 날이 많아졌다. 수업이 끝나고 우주와 다 같이 점심을 먹고 집에 돌아갔다가, 다시 일화를 만나 둘이 저녁을 먹기도 했다. 주말에 따로 또 만나서 밥을 먹거나 영화를 보기도 하고 카페를 가거나 가볍게 한잔 걸치기도 했다. 만나지 않는 날에는 전화를 했고, 문자는 거의 매일 했다.

눈을 뜨니 내 하루 일과가 일화로 시작해서 일화로 끝이 났다. 밤이 오지 않는 것 같았다. 일화가 내 세상을 백야로 만들었다. 그러다 이따금 우주의 목소리가 가슴을 툭툭 치기도 했지만 별일 아니라는 듯, 친구 사이에도 충분히 있을 수 있는 일이라며 내 자신을 합리화했다.

언제부터인가 꿈에 일화가 자주 나왔다. 꿈은 늘 같았다. 일화와 처음 이야기를 나눴던 날, 그날을 반복해서 꿨다. 다만 한 가지 다른 점은 일화와 손을 맞잡은 채 하루를 보냈다는 것. 같은 꿈을 계속 꾸다 보니 이제는 뭐가 현실이었는지 헷갈릴 정도다. 일화는 내 생각을 할까.

*

[나 오늘은 먼저 갈게. 내일 보자.]

어느 날부터인가 일화는 부쩍 먼저 가는 날이 많아졌다. 함께 저녁을 먹는 날이 뜸해졌고, 자기 전에 전화를 하지도 않았고, 답장도 늦어졌다. 이 모든 게 갑작스러웠다. 무슨 일이 있던 걸까. 집에 돌아와 문을 열었더니 빛 하나 없는 고요한 어둠에 숨이 막혀왔다. 재빨리 불을 켜도 집은 밝아지지 않았다. 뭐가 문제인 건지 칙칙한 빛을 내는 형광등 불을 가만히 바라봤다. 원래 이렇게 공허했던가.

"일화랑 만나는 언니, 원래 대전이었던가? 거기에서 살다가 이번에 아예 서울로 이사 왔대."

그래서였구나. 이미 일화에게 누군가가 있다는 사실은 알고 있었다. 단지 잊고 있었을 뿐. 그래, 일화와 나는 그저 친구 사이인 게 맞다. 아무리 우리가 같더라도 딱 친구까지 일 수 있는 거니까. 오히려 다행이라고 생각한다. 그 사람이 나타나지 않았다면 내 욕심이 선을 넘어섰겠지. 그렇지만 조금 서운한 감정이 드는 것은 어쩔 수 없었다. 일화가 만나는 사람은 어떤 사람일까.

빛을 빼앗긴 느낌이 들었다. 원래 내 삶은 이 정도로 우중충하지 않았는데, 순식간에 내 세상이 이렇게 어두워진 것은 아마 일화네가 해를 가져갔기 때문이지 않을까. 갑자기 나타나서는 내가 방심한 사이에 해를 가져가 버린거지. 그렇지 않고서야 설명이 되질 않는다. 나는 어쩌면 좋지.

*

[뭐해?]

일화에게서 오랜만에 연락이 왔다. 요즘 들어서 우울해졌다며, 헛헛하고 공허한 느낌이 드는데 그게 너무 싫다고 말했다. 그 이유가 나 때문은 아니었다. 만나는 사람이 너무 바빠서 혼자 있는 날이 많아졌다고, 줄곧 같이 있다가 떨어지니 더 외로운 것 같다고 했다. 나도 그래. 근데 나는 너 때문이야.라고 말하고 싶었다. 그런 대신에 맥주를 한잔하자고 했다.

둘이서 자주 가던 근처 맥줏집에서 일화 너를 다시 마주했다. 학교에서도 보기는 하지만, 얼굴을 맞대고 이야기하는 것은 정말 오랜만이었다. 여전히 빛나고 있구나. 일화는 자신의 연인과 있던 일을 내게 풀어놓았다. 사실 제대로 듣지 못했다. 듣고 싶지않았다. 나는 그냥 앵무새처럼 그 사람이 잘못이고 네 잘못은 없다고만 말했다.

헤어지라는 말이 혀끝에 맴돌았다. 하지만 그건 일화를 위한 말이 아니란 것을 깊은 곳에 박힌 내 양심이 알고 있었다. 그래서 쉽게 내뱉을 수가 없었다. 내 사심이 자꾸 새어 나오는 게 보여서. 그렇게 한두 잔을 더 마시다 보니 취기가 올라왔다.

" 돌려줘. "

" 뭐를? "

" 해. "

나와서는 안 될 용기가 튀어나와 버렸다. 일화는 갑자기 그게 무슨 말이냐며 옅은 미소를 지었다. 나는 더 이상 대답하지 않았다. 다행히 일화도 어느 정도 알딸딸 해진 상태여서 내가 한 말은 술김에 하는 헛소리로 치부될 수 있었다.

해를 다시 되찾았다. 이전처럼 둘이서 밥을 먹고 카페를 가기도 했다. 이따금씩 새로 개봉하는 영화도 함께 챙겨 보았고 찝찝한 더위를 잊을 살얼음이 깔린 맥주도 한 잔씩 마셨다. 만날 때마다 그 사람 잘못이라는 말을 입에 달고 다니면서.

*

[먼저 갈게.]

나는 너를 되찾았다고 생각했는데 내가 잠시 방심한 틈을 탄 사이에 일화 너는 다시 해를 가져가고 말았다. 맥줏집에서 네 말을 흘려들은 것을 들켜서 일까. 앞뒤도 제대로 듣지 않고 무조건적으로 네 편만 들어서 신뢰를 잃은 것일까. 그 사람과 헤어지길 바라는 내 사심이 네 눈에까지 새어 나와 버려서 일까. 혼란스러운 의문들 속에서 정신을 차리고 보니 내 세상은 어느새 극야가 되어있었다.

“ 벌써 일주일 뒤면 종강이네요. 발표는 이름 순서로 진행되며, 시간은 최대 3분에서 2분 정도로만 하겠습니다. 마지막 날인 만큼 시간 관계상 시에 대한 해석은 따로 발표하지 않을 것입니다. 그냥 준비했던 ‘시’만 읊어주세요. 시를 쓴 이유를 함께 적은 파일은 종강 전날까지 제출하는 것으로 하겠습니다. ”

오늘 일화가 학교에 오지 않았다. 우주가 일화에게 전화를 걸었지만 받지 않는다고 했다. 발표 어떻게 해야 하는지 알려줘야 하는데. 우주와 점심을 먹으면서도 휴대폰만 계속 만지작거렸다.

갑자기 몰려오는 피로감에 집에 돌아가자마자 옷도 갈아입지 않은 채 낮잠을 잤다. 얼마나 잤을까. 내내 울리는 진동에 눈을 떴다.

[들레야, 어디야?]

일화가 집으로 찾아왔다. 오랜만이라는 인사는 하지 않았다. 보고 싶었다는 말도 하지 않았다. 그저 자신의 연인과 있던 일을 또 풀어내며 다시 나의 세상으로 들어섰다. 자고 갈 것이라는 일화의 말에 전구 빛이 나는 조명을 켜고 침대에 함께 누웠다. 네 입술이 맞닿았다가 떨어지며 소리가 났다. 그 입에서 무슨 소리가 새어 나오건 상관이 없었다. 네가 다시 해를 가져왔으니까. 나는 그것만으로도 충분했다.

그러다 네 입에서 헤어짐을 고민하는 목소리가 나왔다. 이전과 달리 '이별'이라는 단어를 직접적으로 내뱉은 것이다. 내 두 눈과 머리가 요동쳤다. 그토록 바라던 순간인데 나는 왜 망설이고 있는 걸까. 네게 헤어지라고 하는 것이 맞을까. 어떻게 답을 해야 하지. 몇 초 되지 않는 시간이라도 벌기 위해 다시 되짚어 보자는 거짓말로 네게 한 번 더 상황을 설명해달라 했다.

너를 외롭게 하는 사람을 곁에 두지 말라고 하고 싶었다. 그렇다고 그 자리를 내가 대신할 수 있을까? 괜히 헤어지라고 부추겼다가 네가 후회를 하고 이내 내 탓을 하면 어쩌지. 그래서 네가 다시 나를 떠나가면 어쩌지. 나는 고개를 들어 일화의 눈을 바라보았다. 그리고 일화의 눈에서 거짓을 보았다. 무시하고 싶었지만, 일화는 여전히 그를 사랑했다. 여전히 그를 원하고 그를 필요로 했다. 일화는 이미 눈으로 답을 말하고 있었다. 나는 그 답이 마음에 들지 않았다. 모르는 척 외면하고 싶었다.

" 그래도 일화야. "

하지만 지금 내 삶에서 가장 필요한 것은 일화였다. 나는 어떻게든 일화를 내 곁에 둬야만 했다. 어떤 방법을 써서라도. 그래서 나는 일화를 설득시키기로 했다. 나를 위한, 너를 위한 거짓된 설득. 감성에 밀려 얇아질 대로 얇아진 이성의 끈을 겨우 붙잡고 그와 네 상황을 짚어주기로 했다. 그가 왜 그런 말을 네게 했는지, 그가 어떤 상황에 있는지. 너를 이해시키고 그를 대변하는 내 모습이 우스꽝스러웠다. 내가 뭐라고 만나보지도 못한 그를 대변하고 있는지. 하지만 어쩔 수 없었다. 이게 최선이라고 생각했다.

너는 내 말을 들으며 더 생각해 보겠다고 말했다. 그 말이 그와 다시 잘 해보겠다는 말이란 것을 알았다. 그리고 너는 내게 고맙다고 했다. 나는 대답 대신에 억지웃음을 지어 보였다. 너는 한결 마음이 편한 듯 미소를 지으며 이불을 목까지 끌어당겼다.

" 나는 말이야. 밤이 무서워. "
" 왜? "
" 어둠이 나를 삼켜서 '나'라는 존재를 없어지게 만드는 것 같은 느낌이라서. 너는? ”

“ 나도 비슷한 것 같아. ”

“ 그치, 너는 밤에 지잖아 ”

“ 밤에 진다니? ”

“ 민들레는 원래 낮에만 폈다가 밤에는 지거든. 이름이 민들레인 사람이 그것도 몰랐어? ”

사람의 생이 이름을 따라간다더니 정말 그런가 보다. 나는 평생 햇빛이 필요한 사람이구나. 일화 너 덕분에 알았어. 일화는 열심히 입을 움직이며 사사로운 말들을 내내 조잘거렸다. 일화의 입술이 지친 듯 점점 움직임이 느려졌고 어느새 눈도 함께 닫혀버렸다.

뒤척이던 일화의 머리가 내 머리에 닿았다. 얕은 숨을 쉬며 잠든 일화의 모습이 너무 가까워서 심장이 뛰었다. 가까워진 일화의 입술을 가만히 바라보니 후회가 되었다. 그냥 욕심을 내볼걸 그랬나. 하지만 어쩔 수 없었다. 도박을 하기에는 네 존재가 내게 너무 컸다. 나는 살포시 내 이마를 일화의 이마에 가져다 대었다. 딱 여기까지만 바랄게. 더 나아가지 않을게.

*

" 다음은 민들레 학생 차례네요. "

수업 종강 날이자, 파이널 발표날이 되었다. 글을 잘 쓰는 편이 아니어서, 누군가에게 발표하는 것이 조금 부끄러웠었다. 계절학기 내내 써 내려갔던 이 시는 언젠가는 일화에게 전하고 싶었던 나의 진심을 담은 고백이었다. 일화 너는 알고 있는지 모르겠지만.

시가 적힌 A4 용지를 들고 앞으로 나아갔다. 서른 명 가까이 되는 사람들을 보고 있으니 손이 떨려왔다. 그러다 일화 너를 보았다. 네가 나를 향해 웃었다. 눈이 부신 네 빛이 나를 따뜻하게 비추었다. 불안감이 순식간에 녹아내렸다.

해를 도둑맞았다.

나는 너를 '해 도둑'이라 부르기로 했다.

해를 가진 네가 곁에 있을 때는 세상이 화창하다.

그런데, 네가 사라지고 나면 세상이 우중충해진다.

내가 자꾸만 우울해지는 것은 해를 훔친 네 탓이다.

해를 돌려 달라 말해보지만

그게 무슨 말이냐며 모르는 척 시치미를 뗀다.

해를 돌려받을 수 있을 때까지는

어쩔 수 없이 너를 곁에 둬야만 한다.

나를 떠나지 않도록 지극정성을 다하면서

숨바꼭질

애당초 나는 사랑이 어려웠다. 이따금 씩 들려오는 사랑 이야기는 좀처럼 가깝게 느껴지지 않았다. 낯선 말들 속에서 공감을 바라는 눈빛, 그것만큼 곤란한 것이 없었다. 어느 장단에 맞추어야 할지 몰랐던 나는 그저 헛헛한 미소를 지으며 말을 돌리거나 자리를 피했다. '사랑'이란 것은 내게 알 수 없는 존재였다. 그래서일까 네 곁에 있을 때면 드는 미지의 감정은 자꾸만 나를 불안하게 했다.

계속 네 생각이 났다. 마치 숨을 쉬듯, 네가 무심결에 떠올랐다. 안경을 벗어도 좀처럼 흐려지지 않았다. 눈을 감으면 네 생각이 꼬리에 꼬리를 물었고 그 탓에 오히려 네 모습이 더 선명해지고 말았다. 친구들이 내게 기대하는 사랑의 모습은 우리와는 달랐기에, 나는 네게서 벗어나야 했다. 그래서 너와 눈이 마주칠 때면 고개를 돌렸다. 한심하지만 반사적으로 움직이는 그 짧은 찰나의 순간에도 네 생각이 났다.

도저히 참을 수 없는 유혹에 돌아간 눈이 다시 너를 마주했을 때, 나는 네 눈에서 실망을 봤다. 온몸이 바스라지는 것 같았다. 하지만 달리 방법이 없었다. 세상 모든 이가 다르다 한들 나와 너무도 닮은 너를 사랑한다는 것은 이상했다. 사랑이 아니길 바랬다.

줄곧 너를 무시하려 안간힘을 썼다. 네가 보이면 자리를 떠났고 이따금씩 내게 말을 걸어도 답하지 않았다. '너'라는 존재를 피하려 안간 힘을 썼다. 그럼에도 너는 한 치의 변함도 없이 내게로 왔다. 수많은 나의 노력을 비웃기라도 하듯 실금 같은 틈이라도 생기면 어떻게든 내 머릿속을 비집고 들어오던 너였다.

끊임없이 나를 탐구하고 파헤치려는 너와 진실이 다가올 때면 숨이 차게 도망을 가는 나의 모습은 마치 숨바꼭질 같았다. 저 멀리 술래인 네가 보일 때면 심장이 미친듯이 뛰었고 손에는 땀이 한 가득 났다. 그러다 네게 차갑게 구는 것이 너무도 힘이 들 때면 운동장 개수대에서 얼굴이 빨개지도록 세수를 했다. 이런 내 자신이 너무도 찌질해 보였다. 왜 나는 너를 잊지 못해서.

언젠가 너는 내게 이런 말을 했었다. '가끔은 나도 어려워.' 매번 눈만 마주치면 발걸음을 옮기는 나를 의식해서인지, 내 곁을 스쳐 지나가며 흘리듯 말하던 너였다. 나는 복도에 멈춰서 가만히 네 뒷모습을 바라볼 수 밖에 없었다. 그리고는 개수대로 뛰쳐나가 얼굴이 터질 것처럼 세수를 했다. 눈과 귀, 볼과 목이 붉게 달아올랐다. 세수를 마치고 고개를 드니 눈에서 수돗물이 마저 흘렀다. 그 모습을 네가 봤고, 결국 나는 들켰다.

네 눈 속에 비친 나는 온 몸이 그대로 멎어 있었다. 시간이 멈춘 게 아닐까 라는 생각이 들 때쯤, 네 발이 먼저 움직였다. 그 모습을 본 나는 도무지 어찌할 바를 모르겠어서 그대로 도망쳤다. 무서웠다. 이 상황이, 이 감정이 전부다. 그래서 그냥 미친듯이 달렸다. 심장이 멎을 듯한 이 두려움에서 벗어 나려면 너를 내 인생에서 지우는 방법 뿐이라고 생각했다. 그것만이 유일한 방법이라 믿으면서 죽을힘을 다해 네게서 도망치기로 했다.

그 날 이후로 더 이상 너를 찾을 수 없었다. 늘 보던 모습도, 늘 풍겨오던 향도, 심지어 그 목소리조차도. 네가 사라져버린 것은 아닐까. 빠르게 날뛰거나 멎었어야 할 심장이 차츰 안정을 되찾았다. 처음엔 내가 옳은 줄 알았다. 그래서 이렇게 편안한 것이라고. 그런데 이런 내 얄팍한 선택은 빠르게 가려버리기 위해 대충 두텁게 칠해버린 싸구려 페인트와 같았다. 급하게 칠한 페인트는 금새 벗겨지고 떨어져 나갔다.

네 생각이 다시 피어오르면서 심장이 다시 비정상적으로 뛰었고 가슴이 자꾸 아파왔다. 숨고 있던 내내 두려움에 떨었던 나는, 네게 들키고 나서야 비로소 평화를 되찾을 수 있었다는 것을, 그래서 내가 마음 편히 잠에 들 수 있었다는 것을 너무 뒤늦게 알아차렸다. 곪는 것도 모르고 어설프게 덮어두기만 해서 염증이 나 더 아파왔다. 두려움이 다시 몰려왔다. 다만 이전과는 다른 것이 확실했다. 너를 다시 찾아야 했다.

처음으로 네 곁에 다가갔다. 그리고 너를 진심으로 사랑하고 싶다고 말했다. 네가 가져다 준 사랑이 진짜 '나'를 끌어냈고 나도 그런 사랑을 네게 주고 싶다고. 이젠 내 차례라고 했다.

하지만 너는 거절했다. 이 긴 숨바꼭질에서 질리도록 술래 역할만 했던 너는, 이미 너무도 지쳐 있던 것이다. 이만 가보겠다는 말을 마지막으로 너는 내 곁을 스쳐 지나갔고 내 첫사랑은 그렇게 허무하게 끝이 났다. 사랑했던 네게 사랑을 돌려주지도 못한 채.

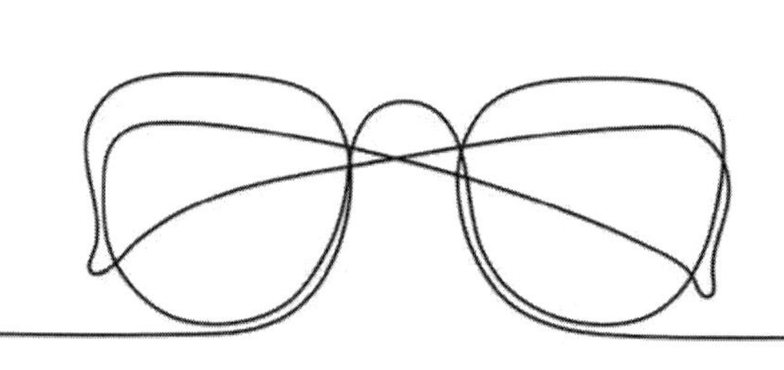

8을 눕혔더니 안경이 되었네요.

얼핏 잔혹하고 무서운 괴담이지만, 안경을 쓰고 자세히 들여다보면 그저 무섭기만 한 이야기는 아니에요. 슬픔도 있고, 스릴도 있고, 놀라운 반전과 애잔함도 담겨있어요. 하지만 걱정하지 마세요. 책에 코를 박고 의미를 찾을 것 없이 가볍게 즐겨도 좋을 만한 그런 이야기들이니까요.

물론,
이야기가 끝난 뒤 찾아올 오싹함도 색다른 재미일 거예요.

NEPTUNUSE

Neptunuse

넵 튠

사랑하는 선아에게...

사랑하는 내 동생 선아에게....

너에게 편지를 쓰려 마음먹고 나서야 이 편지가 너에게 주는 첫 번째 편지란 걸 알게 되었구나. 평생을 단칸방에서 같이 살았기 때문인지, 그저 편지라는 감성적인 것을 생각지 못할 만큼 내가 삶에 찌들어서였는지는 모르지만, 그저 지금은 처음으로 보내는 이 편지를 네가 기쁘게 받아줬으면 한다. 너에게 꼭 하고 싶은 말이 있어 쓰게 된 편지지만 어떻게 이야기를 꺼내야 할지 막막함이 느껴지는구나. 그러니 그냥 처음부터 떠오르는 대로 하나하나 이야기를 해보려 한다.

내가 열두 살 때. 어머니는 사고로 돌아가셨고, 그해 여름 아버지도 어디론가 사라지셨지. 세 살 어린 너와 그 좁디좁은 단칸방에 완전히 버려졌다는 걸 알았을 때, 난 울고 있는 너를 안아 들고 맹세했다. 내가 무슨 짓을 해서라도 너 하나만큼은 남부럽지 않도록 키워내겠다고. 하지만 세상은 내 생각처럼 녹록지 않았다. 내가 학교 대신 공장에 나가 일을 하는 것 따위는 둘이 살기에 턱없이 부족했지. 그랬기에 난 내 인생을 완전히 포기할 수밖에 없었다. 너에게 맛있는 걸 먹여주기 위해 내가 먹을 것을 포기해야 했고. 너에게 예쁜 교복. 예쁜 옷을 입혀주기 위해 내가 입을 걸 포기해야 했다. 네가 좋은 친구들을 만나는 동안 내 친구들과는 멀어져야 했고, 네가 행복하게 웃을 수 있게 난 웃음을 버려야 했다. 하루하루가 지옥 같고, 너무 지쳐서 차라리 아침이 오지 않았으면. 내일이 오지 않았으면 하는 마음이 간절했었지. 그래. 그땐 말하지 못했지만, 매일같이 소리죽여 울만큼 힘들었다. 하지만 내 인생을 오로지 너만을 위해, 너 하나만을 위해 살겠다고 맹세한 이상 하루가 다르게 커가는 너의 모습을 떠올리며 순간순간을 버텨왔다.

내가 성인이 되고 나서도 상황은 그리 나아지지 않았다. 공장일이 끝나자마자 대리를 뛰고, 대리 일이 끝난 새벽녘부터 배달일을 하면서 몸이 만신창이 되고 머리가 아파져 왔지만, 네가 웃는 모습만 보면 전부 치유되는 느낌이었다. 난 못 배운 놈의 새끼. 부모 없는 새끼라고 손가락질당하고 돈 때문에 남의 발 앞에 엎드릴지언정, 너만은 착한 아이, 똑똑한 아이, 부족함 없는 아이로 잘 자라주어서 진심으로 행복했다. 나에게 넌 삶의 이유이자 희망이자 전부였다.

네가 고등학교를 졸업하던 그때. 명문대까지는 아니지만, 수도권의 그럴싸한 대학에 합격했단 소식을 전한 그때. 난 너에게 조심스레 물었었다. 학생의 신분이 끝나는 느낌이 어떻냐고. 사실 내 질문의 의도는 감상 따위를 묻는 게 아니었다. 평범한 학생으로서, 부모 없는 가난한 학생이 아니라 남들과 다를 바 없는 여학생으로서 부족함 없이 잘 보냈냐는 의미였지. 넌 내 의도를 알아챘는지 웃으며 대답해 주었다. 내 덕분에 남부럽지 않은 학창 시절을 보냈다고. 남들과 다를 바 없이 친구를 사귀고, 남들과 다를 바 없이 놀러 다니고, 누릴 것을 전부 다 누릴 수 있었다고. 그 말은 듣고 나서야 난 안심하고 너를 따라 웃을 수 있었다. 한편으로는 조금 욕심이 생기기도 했지. 이제 성인이 되었으니 너도 조금은 네 인생에 책임을 져야 할 것이고. 나 역시 조금은 내 인생을 되찾을 수 있지 않을까 하는 욕심. 하지만 대학 등록금은 그리 만만치 않았지. 그리고 여대생은 여고생과 비교하기 힘들 정도로 많은 돈이 필요했다. 내게 손을 벌려오는 날이 많아질수록 난 버거움을 느꼈다. 지나가는 식으로 슬쩍 아르바이트를 해보는 게 어떠냐 말해보기도 했지만, 넌 공부에 집중하고 싶다며 단칼에 거절했지. 조금은 서운했지만 그래도 참기로 했다. 그래. 네가 제대로 공부해야 우리 남매가 산다. 네가 훌륭한 사람이 되어 성공하면 그때는 웃을 수 있으니까. 아직은 내가 조금 더 고생해야 할 시기구나. 그렇게 생각하고 일을 더 늘렸지. 네가 졸업을 하고 취업을 하게 되면 나에게도 시간이 주어질 거라 믿었다. 이제 와서 하는 말이지만 난 여유가 생기면 다시 공부하고 싶었다. 못 배운 것에 대한 설움 때문인지 아니면 내가 포기해야 했던 것들에 대한 보상심리인지 가장 먼저 공부를 하고 당당하게 검정고시를 보고 싶었다. 그래서 예전부터 조금이나마 시간이 생길 때마다 잠잘 시간을 줄여가며 네가 고등학생 때 보던 교과서 따위를 들여다보곤 했지. 네가 성공해서 돈을 많이 벌면 그땐 나도 마음의 짐을 내려놓고 공부를 다시 시작할 수 있을 거라 믿었다.

하지만 넌 대학을 졸업하기도 전에 웬 남자 한 명을 데려왔다. 결혼하고 싶다는 말과 함께. 너와 마찬가지로 대학생 신분인 그 남자는 널 부양할 능력이 없었기에 반대하고 싶었지만, 네 배 속에 생겨난 조카의 이야기를 듣고는 그마저도 포기하고 말았다. 그래. 가정을 이루는 것이 너의 행복이라면 나도 이해한다. 아이를 낳고 그 남자와 행복해질 수 있다면 그것도 존중해 줘야겠지. 내 욕심으로는 더 능력 있고 돈 많은 남자에게 시집보내고 싶지만 그래도 책임감 있고 건실해 보이는 그 남자를, 가장 소중한 네가 선택한 그 남자를 나도 믿어보기로 했다. 실제로 학교를 그만둔 그 남자가 열심히 돈을 벌기 시작했을 때. 그때는 나도 조금은 마음이 풀렸다. 함께 결혼을 준비하는 너와 그 남자를 보며, 이게 옳은 거라 생각하기도 했고, 한편으로는 내 부담이 줄어들어 기쁜 것도 있었지. 방식은 달랐지만 이제 나도 내 인생을 찾을 수 있을지도 몰랐으니까. 하지만 내게 그런 시간은 오지 않았다.

네 살림에, 네 결혼식에 조금이나마 보탬이 되고자 지나치게 무리해서 일한 탓인지 이제는 눈감고도 할 수 있는 공장에서 실수해 버리고 말았다. 빠른 대처 덕에 기계속으로 빨려 들어가는 건 막을 수 있었지만, 왼쪽 손목만은 포기해야 했다. 외팔뚝이가 되었다는 슬픔보다는 이제 널 부양할 능력이 없다는 사실이 더 슬펐다. 그간 몸뚱이 하나 믿고 해내던 대부분의 일을 할 수 없게 되었으니까. 마음을 다잡아봐도 그간 고생한 것과 그간 포기한 것들. 그리고 앞으로 절대 가질 수 없게 된 것들이 자꾸 떠올라 어리광을 부리게 되더구나. 그래서 나답지 않게 약한 모습을 보이며 너에게 물었다. 이제 네가 날 돌봐 줄 수 있겠냐고. 넌 한동안 말이 없다가 뒤늦게 어색한 미소를 지으며 천천히 고개를 끄덕였지. 하지만 난 알 수 있었다. 네 표정. 그리고 망설이는 동안 스쳐 간 입술의 떨림으로 모두 알 수 있었다. 그래. 네 행복이 망가지는 걸 원치 않았겠지. 이제 드디어 힘겨운 단칸방 생활을 청산하고 사랑하는 남자와 결혼해서 행복한 신혼 생활을 즐길 생각에 들떠 있었는데. 웬 외팔이 짐 덩이가 달라붙는 게 탐탁지 않았겠지.

난 널 이해한다. 그간 너도 맘고생 많이 했고, 이제 제대로 된 행복을 가지게 되었음에도 그 모든 것을 방해하는 나에게 결국은 고개를 끄덕여 주었으니까. 하지만 이해한다고 해서 상처가 되지 않는 것은 아니었다. 내 전부를 바쳐 키워낸 네가 날 짐짝 취급해도 될까? 오로지 포기하기만 했던 내가 이것마저 포기해야 할까? 넌 내게 단순한 여동생이 아니라 삶의 이유였고 삶 자체였다. 가족. 그리고 가족이었지. 그럼 너에게 난 뭐였을까? 그냥 돈 벌어다 주는 사람? 인생을 순탄하게 만들어 주는 사람? 그냥 일방적으로 받기만 해도 되는 사람? 정말 그렇다면 아무것도 해줄 수 없는 지금은 내가 뭐가 되지? 인생을 방해하는 짐짝일까? 그냥 아무것도 아닌 남이고 타인일까?

너에겐 작은 망설임이었겠지만 그것 하나로 난 평생을 바친 모든 것이 부정당했다. 내가 포기한 모든 것이 너의 지금을 만들었지만 넌 내게 작은 배려 하나 보여주지 못했다. 마음이 수만 갈래로 찢기고 차라리 아버지에게 버려졌던 그때 같이 죽어버릴 걸 하는 생각. 나 혼자였다면, 너만 없었다면 난 더 나은 삶을 살았을 텐데 하는 생각. 그마저도 아니라면 차라리 그 기계에 빨려 들어가 죽어버릴 걸 하는 생각. 온갖 나쁜 생각들. 널 상처입히고 날 무너지게 할 온갖 나쁜 생각들이 내 머릿속에 가득 차서 견딜 수 없었다. 아직까지 마음이 괴롭지만 한 가지 확실한 건 그래도 난 여전히 널 사랑한다는 사실이었다. 널 사랑하기 때문에 네가 행복하길 바란다. 그래서 가족으로 남기 위해 너의 짐이 되지도 않을 것이고 그렇다고 너에게 짐이 되지 않기 위해 타인이 되고 싶지도 않다. 그래서 이제 내 생에 처음으로 네가 아닌 나를 위한 이기적인 선택을 하려 한다.

네가 이 편지를 받는 오늘. 그래. 너의 결혼식 날. 피로연을 마치고 집으로 돌아와 신혼여행 갈 준비를 하면서 이 편지를 받아보고 있겠지. 어쩌면 이미 내 소식이 전해졌는지도 모르겠지만, 결혼식에서 마지막으로 너의 얼굴을 보고 이 편지를 너의 신혼집으로 보내자마자 그대로 목을 매달 생각이다. 내가 죽으면 더이상 너에게 짐이 되지도 않고 가족으로 남을 수 있겠지. 왜 굳이 오늘이냐는 질문에는 잊혀지지 않기 위해서라고 말해주고 싶다. 죽어서 잊혀진다면 그것이야말로 내가 가장 두려워하는 타인이 되어 버리는 것이니까. 단순히 내 기일이라면 네가 기억하지 못할지도 모르지만 네가 가장 행복한 날임이 분명한 결혼기념일에 내가 죽는다면 잊고 싶어도 잊을 수 없겠지. 그렇게라도 네가 날 기억해 주었으면 한다. 더불어 행복해야 할 날에 내 죽음이 너에게 우울함을 가져다 줄 테니 그간 괴롭고 서운했던 내겐 소심하고도 처절한 복수가 되기도 한다. 이기적인 선택이지만 이 역시 내 평생 그래왔던 것처럼 너를 위한 선택이기도 함을 이해해 주길 바란다.

사랑하는 내 동생 선아야.

내 몫까지 행복하길 바란다. 이건 일말의 거짓도 없는 진심이다. 아이를 낳고 가족을 만들어 행복하되 일 년에 단 하루만이라도 날 기억하고 아주 조금은 괴로워했으면 한다. 다시 한번 결혼 진심으로 축하하며, 행복하길 바라마.

가족이 되고 싶었지만 짐이 되었고. 타인이 되기 싫어 미움받기를 선택한 못난 오빠가.

용서. 그 처절함에 대하여

나는 너를 용서한다.

오랜 시간 날 무시하고 깔보던 너를 용서한다.

학생 시절부터 시작된 너와 나의 악연.

절대 잊을 수도, 용서할 수도 없을 정도로

원한이 깊었다 생각했지만,

한심하듯 날 내려다보던 너의 그 눈이

더 이상 앞을 볼 수 없으니 이제는 그럴 수 있다.

너를 용서한다.

나에게 심한 말을 하며 욕을 퍼부었던 너를 용서한다.

네 말들은 비수가 되어 내 심장을 난도질했었지만,

너의 그 혀 역시 지금은 갈가리 찢어져 바람 소리만 낼 뿐이니

이제 용서할 수 있다.

너를 용서한다.

내 돈을 뺏고 내 물건들을 뺏어간 널 용서한다.

그것 때문에 늘 배고프고 궁핍하게 살았지만,

내 것으로 게걸스레 먹을 걸 채워 넣었던 그 배에

커다란 구멍이 뚫려버렸으니 이제는 용서할 마음이 생겼다.

너를 용서한다.
내게 휘두른 폭력을 전부 용서한다.
서럽고 고통스러워 눈물이 마를 날이 없었지만,
날 아프게 하던 너의 팔과 다리가 전부 뭉그러져
뼈가 사방으로 튀어나오고 살점이 터져나갔으니
아주 기쁜 마음으로 널 용서하겠다.

너를 용서한다.
내 가족들에게 고통을 준 것마저 용서한다.
나의 어머니를 욕하고 아버지를 비웃으며 우리 가족을 욕했지만,
너희 부모님이 지금의 네 꼴을 보며 오열하는 모습에
내 마음이 풀렸으니 이것마저 용서해 줄 수 있다.

너를 용서한다.
내 인생을 쓰디쓴 지옥으로 만든 너지만,
이제는 너를 용서한다.
내 자존감을 짓밟고, 내 마음을 무참히 부숴버린 너지만,
이제는 너를 용서한다.
아니 용서하는 것을 넘어 감사의 마음을 전하고 싶다.

너에게 감사한다.
네가 자랑해 마지않던 오토바이를 타다
빗길에 미끄러지고 아스팔트에 갈려 나가

끔찍한 고통을 받았음에도
끝내 살아남아 줌에 감사한다.

구르고 굴러서 만신창이가 되어
차라리 죽었으면 하고 바랐음에도
끝내 살아났음에 감사한다.

너희 부모님이 오열하는 꼴을 바로 옆에서 봐야 하겠지만
살아줘서 감사한다.
이제는 반송장이 되어 처절하게 목숨을 연명해야 하지만
그래도 살아줬으니 감사한다.
내가 눈앞에서 온갖 모욕을 주며 널 비웃어도
손가락 하나 까딱할 수도,
욕설을 퍼부을 수도 없지만,
그럼에도 살아남아 주어 감사한다.

너를 용서하고 또 진심으로 감사의 마음을 전했으니,
그간의 쌓여있던 나쁜 감정은 모두 정리하고
진심으로 널 대할 수 있다.
그러니 이제는 매일 같이 찾아와 너의 모습을 봐줄 생각이다.
너희 부모님이 내 손을 맞잡고
고맙다고 눈물을 보이시는 걸 속으로 비웃어 보일 거고,
네가 죽지 못해 버러지같이 하루하루 버텨내는걸

즐거운 마음으로 지켜봐 주겠다.

이런다고 해서 그간 고통받았던 나의 과거가 사라지는 건 아니지만,

지금 내 마음은 한없이 황홀하고 행복하니 그걸로 만족한다.

그러니 제발 오래오래 연명해 주었으면 한다.

그렇게 시간이 흘러 내가 충분히 만족하고

너에게 흥미가 떨어지면,

너의 병실에 발길을 완전히 끊은 다음

널 완전히 잊고 이제는 제대로 된 내 인생을 살겠다.

그렇게 자유롭게 살아가다가 마침내 너의 부고 소식이 들려오면,

그땐 또다시 기쁜 마음으로 축배를 들어 주겠다.

이번에야말로 네가 진짜 지옥에 떨어지기를 간절히 기도하면서.

이제 너에게 진심을 담아 마지막으로 말한다.

넌 내게 비참한 삶을 주었지만

지금은 너를 용서한다.

가장 가치 있는 크리스탈

[2083년 국제 미술품 전시회]

보란 듯이 걸려있는 전광판을 바라보며 한숨을 쉬었다. 전시회라고는 하지만, 내 목적지는 전시회가 아닌 전시장 한켠에 있는 미술품 경매장이었다. 미술품은커녕 좋은 옷 한 벌 사기 힘든 주제에 팔자에도 없는 경매장이라니. 당연히 여기까지 오게 된 건 여유 있게 경매를 즐기기 위해서가 아니었다. 그저 처절한 대학원생 신분답게 교수님 수발을 들기 위해 끌려왔을 뿐이다.

"훌륭하군. 똑바로 보도록 해. 오늘은 아주 특별한 날이 될 테니."

학계에서는 가히 최고라고 불리지만, 그에 걸맞은 괴팍한 성격을 가진 최일국 교수. 내 담당 교수이자 오늘 내가 모셔야 할 분이었다. 전공을 잘못 선택한 게 아닐까 하는 생각을 다시금 해본 뒤 교수님을 따라 경매장 안으로 들어섰다. 경매장엔 딱 봐도 돈깨나 있는 듯한 사람들이 잔뜩 보였다. 모르긴 해도 내 일 년 치 생활비 정도는 한 끼에 쓸 정도로 거물급 인사들이 틀림없었다.

"자, 타오르는 붉은 보석. 에이자의 적석은 신 회장님을 새 주인으로 맞게 되었습니다."

나로서는 감히 금액을 상상하기 힘든 주먹만 한 보석이 막 낙찰되어 주인에게 가고 있는 순간이었다. 교수님은 자리를 잡고 앉으며 이야기했다.

"타이밍이 아주 좋구만. 이제 곧 나올 거니 잘 보고 있어. 무엇보다 주변을 잘 봐. 어떤 사람들이 있고, 어떤 눈빛을 하고 있는지."

난 너무 촌스러워 보이지 않도록 조심하며 경매장을 둘러보았다. 경매의 주체가 될 부자들이 주를 이루고 있었지만, 그 사이로 기자인 듯한 인물들도 간간이 보였고 기업의 명찰을 단 사람들. 그리고 학술적인 목적으로 온 듯한 사람들도 보였다. 확실히 보통 경매와는 그 결을 달리하는 모양이었다. 그 순간, 스피커에서 진행자의 목소리가 들려왔다.

"자. 다음은 오늘 많은 분이 기다리시던 그 작품입니다. 제17번 출품작. 우주에서 가장 아름다운 보석. '제시 크리스탈'입니다."

곧 커다란 상자가 천에 씐 채 무대 위에 등장했다. 그에 따라 경매장의 분위기도 들썩이기 시작했다. 다급하게 눈을 굴리는 부자들과 열심히 손을 움직이는 기자들. 그리고 옆 사람과 은밀하게 대화를 나누는 사람들. 이윽고 천이 걷어지자, 우주에서 가장 아름다운 보석이라는 그 말을 증명이라도 하듯, 나조차 감탄사를 뱉어낼 정도로 아름다운 제시 크리스탈의 모습이 드러났다. 마치 스스로 아름다운 붉은 빛을 뿜어내는 것처럼 보일 지경이었다.

"아름답지? 내 작품이지만 정말 훌륭해."

옆에서는 최 교수가 자화자찬의 말을 뱉어냈지만, 이번만큼은 나도 인정할 수밖에 없었다. 확실히 실력 하나만큼은 업계 탑이라 불릴 만했다. 누구도 반할 만한 그 아름다운 모습에 경매장 안은 더욱더 부산해졌다.

"무슨 설명이 필요하겠습니까? 우주 최고의 보석이 우주 최고의 장인을 만나 그야말로 역사에 길이 남을 예술작품이 완성되었습니다. 어쩌면 우리는 이전에도, 그리고 이후에도 존재할 수 없는 기적 같은 순간에 있는지도 모릅니다. 제시 크리스탈. 이 작품의 소유자를 찾기 위한 경매를 지금부터 시작하도록 하겠습니다. 시작가는 50억입니다."

그리 낮지 않은 시작가였지만 50억이라는 금액이 아무 의미 없다는 건 여기 있는 모두가 알고 있었다. 그 말을 증명이라도 하듯 경매가는 순식간에 치솟고 있었다.

"55억. 한순간에 55억을 부르셨습니다. 56억. 56억 부르셨습니다. 58억. 네. 58억입니다. 네 59억. 곧바로 60억…. 계속 진행하겠습니다."

억 단위로 빠르게 올라가는 금액에 현실감이 없어질 정도였다. 혀를 내두르며 회장을 둘러보자니 부자들과 기업들이 이를 악물고 경매가를 불러대고 있었다.

"똑똑히 잘 봐둬. 보나 마나 이번 경매는 저 둘의 싸움이 될 거니까."

교수님의 턱짓한 곳을 보니 티브이에서 얼굴을 본 적이 있는 대기업의 장회장이 자리를 잡고 있었다. 하지만 옆에 있는 갈색 정장의 중년은 내가 모르는 사람일 뿐 아니라 그리 부자처럼 보이지도 않았다. 물론 어느 정도 부티는 났지만, 대기업 회장과 비교하긴 한없이 부족한 그저 평범한 부자. 그런데도 표정만은 이곳에 있는 누구보다 진지했다. 내가 그들을 살피는 그 짧은 시간 동안 금액은 끝을 모르고 올라가고 있었다.

"320억 나왔습니다. 320억. 321억 있으십니까? 325억 나왔습니다. 경쟁률이 높은 관계로 금액을 높이도록 하겠습니다. 330억 있으십니까? 네. 330억 나왔습니다."

금액이 높아짐에 따라 열심히 금액을 올리던 사람들이 하나둘 떨어져 나갔다. 그리고 500억이 넘어가는 시점이 되자 교수님의 말대로 단 두 명의 사람만이 치열한 경쟁을 이어나갔다.

"505억. 505억까지 나왔습니다. 510억 있으십니까?"

갈색 정장의 남자는 떨리는 손으로 숨을 고르고 손을 들었다.

"510억. 네. 510억 나왔습니다."

하지만 진행자의 말이 끝나기도 전에 장회장의 목소리가 울려 퍼졌다.

"520!"

"520. 520억. 나왔습니다."

이제 갈색 정장 남자의 얼굴이 파랗게 질려가기 시작했다. 그도 그럴 것이 자금만 따지면 국가와 비견되는 거대한 기업의 회장이 상대니 당연했다. 회사 단위로 경매에 참여하던 사람들도 장회장의 적극적인 공세에 포기를 던지는 마당에 특별한 것 없는 저 사람이 감당할 리 만무했다. 잠시간의 침묵이 이어진 뒤, 다시 입을 연 것은 갈색 정장이 아닌 장회장이였다.

"530억."

상위입찰자가 없음에도 금액을 올려버린 것이다. 언뜻 이해가 가지 않는 행동에 난 고개를 갸웃거렸지만, 교수님은 감탄사를 내뱉었다.

"더 까불지 말고 떨어져 나가란 소리지. 게다가 낙찰가가 높아지면 미술품 가치는 그만큼 올라갈 테니 손해 볼 것도 없고 말이야. 무서운 양반이구만."
"그럼 역시 장회장이 낙찰받겠네요."
내 말에 교수님은 고개를 저었다.
"글쎄. 결국은 그렇게 되겠지만 김 사장도 그냥 나가떨어지진 않을걸?"
갈색 옷의 남자가 김 사장인 모양이었다. 교수님은 저 사람을 아는 듯했기에 조금 더 물어보려던 그때, 김 사장이 힘겹게 소리쳤다.
"535억!"
아마도 최후의 발악이지 싶었다. 사장 소리를 듣는다면 역시나 돈은 좀 있겠지만, 이미 경매 금액은 '비싸다'라는 단어로 설명할 수 없는 수준까지 올라갔다. 그걸 증명이라도 하듯 장회장은 짜증내듯 경매가를 불렀다.
"550억."
순식간에 올라간 금액에 진행자마저 당황하여 말을 더듬었다.
"5…. 550억. 장 회장님 550억 부르셨습니다. 상위입찰하실 분 더 있으십니까?"
경매장 내에 있던 모두의 시선이 김 사장에게 향했다. 김사장은 오래전에 축축이 젖어 든 손수건으로 땀을 훑어내며 입술을 움찔거릴 뿐이었다.
"더 없으십니까? 3회 호명하겠습니다. 550억. 550억. 5…."
"잠깐!!!"

진행자의 말은 공간을 터트릴 듯 울려 퍼진 김사장의 외침에 가로막혔다. 김사장은 벌떡 일어나 한동안 장회장을 노려보더니 이내 모든 걸 내려놓은 듯

절망적인 표정으로 장회장을 향해 엎드렸다.

“제발. 제발 한 번만 선처해 주십시오. 제가 무엇이든 하겠습니다. 그러니 제발 입찰을 포기해 주십시오. 죽으라면 죽고. 개가 되라면 개가 되겠습니다. 무슨 짓이든 할 테니 제발 제게 양보해 주십시오.”

일반적으로는 절대 나올 수 없는 장면에 나를 포함한 모두는 어떻게 반응해야 할지 몰랐다. 저게 그렇게까지 중요한 걸까? 장회장은 간절한 김사장의 모습을 가만히 지켜보다가 천천히 손을 들어 진행자를 불렀다.

“여기.”

난 긴장한 채 장회장의 다음날을 기다렸다.

“10억 더 얹어서 560억.”

그리곤 김 사장에게 비릿한 웃음을 지어 보였다. 명백한 농락에 김사장은 이성을 놓친 듯 벌떡 일어나 장 회장에게 달려들었다.

“이 망할 새끼가!!”

가까운 거리였지만 바로 옆에 양복을 입은 경호원들이 자리 잡고 있었기에 김사장은 장회장의 털끝 하나 건드리지 못하고 제압되고 말았다.

“왜 저렇게까지 할까요?”

내 질문에 교수님은 모든 걸 이해한다는 듯 내게 설명했다.

"그럴 수밖에. 김사장한테는 그냥 미술품이 아닐 테니 간절하지."
무슨 말인가 싶어 멍하니 있자니 교수님의 말이 이어졌다.
"장회장한테는 미술품 내지는 노리개 거리지만 김사장한테는 사랑해 마지않는 딸의 시신이니까."
의외의 사실에 난 쓰러진 김사장과 제시 크리스탈의 모습을 번갈아 바라보았다. 커다란 상자 안에서 생전 모습 그대로 박제되어있는 제시 크리스탈의 모습은 김사장과 닮은 구석이라곤 찾아볼 수 없었다. 아무래도 어머니를 닮은 모양이었다. 그러고 보니 제시의 본명은 김하나. 성이 같았다. 배경을 알고 나니 김사장의 상황도 어느 정도는 이해가 되었다.
"요즘에야 그렇지 않지만, 김사장은 케케묵은 옛날 마인드를 가진 사람이야. 그러니 지금은 신경도 쓰지 않는 장례라든가 시신 수습이라든가 이런 걸 목숨처럼 아끼지. 소속사 소유인 작품. 아니 시신을 가져가 장례를 치르려면 돈으로 사는 수밖에."
'우주에서 가장 아름다운 보석'이라는 별명을 가진 아이돌 가수 제시 크리스탈. 그녀의 죽음 이후 계약대로 그녀의 시신은 소속사 소유가 되었고, 유명인 대부분이 그렇듯이 박제되어 예술품으로 만들어졌다. 특히나 제시 크리스탈은 가장 아름다운 시기에 죽은 만큼. 박제 업계 최고라 불리는 최일국 교수. 지금 내 옆에 있는 내 담당 교수님이 맡게 되면서 이슈가 되었다. 오로지 교수님 혼자만의 정교한 작업으로 만들어진 제시 예술품은 내가 봐도 훌륭했다. 제시의 시그니쳐 복장인 붉은 미니드레스를 입은 그 모습은 당장이라도 유리 상자 문을 열고 밖으로 나와 춤을 추고 노래할 것 같았다.

“하지만 상대가 좋지 않아. 장회장이 제시를 놓칠 리 없으니. 애석하지만 이번엔 포기를 해야겠지.”

장회장은 탐욕스러운 얼굴로 유리 상자 안의 제시를 보며 입맛을 다시고 있었다. 그 모습을 보니 왠지 김 사장이 불쌍해졌다. 방부제와 보존 기술발달로 죽은 시신 역시 살아있는 것과 전혀 다를 바 없는 상태로 유지될 테니 딸애의 시신이 저 변태 회장에게 무슨 꼴을 당할지 생각하면 밤에 잠도 오지 않을 것 같았다. 난 장회장이 정말 무서운 사람이라 생각하며 몸을 움츠렸지만, 교수님은 무언가 의미심장한 미소를 짓고는 장회장을 비웃으며 말했다.

“멍청한 인간 같으니. 중고품 하나 가지고 그렇게 좋아하기는.”

“네? 중고요?”

내 물음에 교수님은 내게만 들리도록 작게 말했다.

“내가 이미 몇 번 썼거든. 박제 끝내고 나서.”

순식간에 역겨움이 몰려왔지만, 얼굴에 드러내지 않도록 애쓰며 어색한 미소를 지어 보였다. 역시 박제학은 선택하는 게 아니었다.

하소연

저녁 7시. 저 멀리 보이는 고급 아파트들과 비교하면 내가 서 있는 골목은 볼품없어 보였다. 상대적 박탈감이라던가 부러운 감정 따위가 안 드는 건 아니지만, 그래도 요즘엔 그럭저럭 내 삶에 만족하고 있었다.

"아, 좀 늦었네?"

종종걸음으로 고소한 튀김 냄새가 진동하는 옛날 치킨집과 몇 달째 문이 열리지 않는 참치 집을 지나 한 칸은 될까 싶은 좁디좁은 술집에 도착했다. 나무판자로 솜씨 좋게 만든 입간판에는 멋들어진 글씨로 '하소연'이란 글씨가 적혀있었다. 엉성한 테이블 하나에 간단한 안줏거리를 만드는 주방. 그리고 영업용 냉장고 하나만 달랑 있는 공간이지만, 내가 가진 전부였고 너무도 소중한 곳이었다.

"안녕하신가."

가게 문을 열기가 무섭게 손님이 찾아왔다. 남자인 것 같았고. 나이는 아마 30대에서 50대 사이일 듯했다.

"오뎅탕 하나 해주고. 오징어숙회 좀 썰어줘."

익숙하게 주문하고 냉장고에서 술과 잔을 꺼내는 걸 보니 단골인 모양이었다.

"네. 잠시만 기다리세요."

안주는 금방 완성되었다. 뜨끈한 오뎅탕과 데친 오징어를 초장과 함께 내가자, 남자는 당연하다는 듯 내게 술잔을 내밀었다.

"요새는 말이야. 내가 아주 갈 데가 없어. 집에 가면 딸내미 눈치에 마누라 눈치에. 지들끼리 깔깔대면서 놀다가도 내가 집에 딱 들어가면 둘 다 입 싹 다물고 딸내미는 지방에 휙 들어가고. 마누라는 거실에서 드라마나 틀어놓고 있고. 뭘 말해도 제대로 대꾸도 안 해줘. 내가 아주 숨이 턱턱 막힌다고. 그렇다고 또 회사에 죽치고 있자니 그러면 또 젊은것들이 내 눈치를 봐. 그치. 늙은이는 얼른 집에 가줘야 자기네들도 퇴근해서 애인도 만나고 친구도 만나러 갈 테지. 그렇게 집에도 못 가고 회사에도 못 있으면 난 어디로 가야 하나?"

술 한잔 받기도 전에 시작된 하소연은 아주 오래도록 계속되었다. 그렇게 한참을 이야기한 어느 정도 쌓인 이야기가 풀렸는지 이번엔 내 이야기를 듣고 싶어 했다. 하소연하는 것만큼 오지랖도 넓은 사람인 듯했다.

"그래서. 자네는 요새 어떤가? 어머님은 잘 계시고? 애인은 아직 없나? 이제 결혼 해야지."

쉴 새 없이 쏟아지는 질문 공세에 진땀을 빼며 대답을 해야 했다.

"어머님은 잘 계시죠. 애인은…. 글쎄요. 아직 없네요."

적당히 넘어가려 했지만, 명절에 찾아뵌 큰아버지처럼 쉬이 넘기지는 않았다.

"왜 없어. 친구도 있다며? 그 친구한테 여자 소개해달라고 하던가."

아무래도 내가 예전에 이 남자에게도 이런저런 이야기를 많이 했던 모양이었다. 팔자에도 없는 잔소리를 한참이나 듣고 나서야 간신히 풀려날 수 있었다. 속 시원히 떠든 것이 썩 마음에 들었는지 남자는 술값 외에도 팁이라면서 오만 원짜리 한 장을 챙겨주기까지 했다.

"오늘도 잘 마시고 가네. 아무리 생각해도 여기만큼 편한 데가 없어. 자주 보세나. 뭐 당연히 다음에 봐도 자네는 날 알아보지 못할 테지만."

그 말을 마지막으로 비척비척 걸어가는 남자의 뒷모습을 보며 작게 한숨을 쉬고는 가게 입구에 꼼꼼히 적어놓은 '하소연' 이용 안내 팻말을 바라보았다.

[하소연]

본 술집은 한 번에 한 명의 손님만을 받는 1인 술집입니다. 주인장이 직접 술친구가 되어 손님의 하소연을 들어드립니다. 안주는 직접 주문해 주셔도 좋고 다른 곳에서 포장해 오시거나, 배달도 가능합니다. 주인장은 안면인식장애를 앓고 있습니다.

손님이 누군지 전혀 알아보지 못함은 물론,

이 술집에서 들은 이야기를 절대 발설하지 않으니 마음 놓고 속내를 털어놓으셔도 좋습니다.

"알아보지 못한다…."

맞는 이야기였다. 애초에 단골처럼 보이는 그 남자를 난 기억하지 못한다. 아니 정확히는 알아보지 못한다. 팻말에 적힌 대로 심각한 안면인식장애를 앓고 있기에 난 사람의 얼굴을 기억하기는커녕 사람의 나이와 성별을 가늠하기조차 어려움을 느낀다. 목소리, 말투, 복장, 버릇 등등 인지할 수 있는 모든 것들마저 꼼꼼히 기억하지 못하는 덕에 내 가게에 오는 이들은 하나같이 아무런 부담없이 어떤 하소연이고 할 수 있다. 물론 술친구 개념이니 내가 이야기를 하는 때도 있지만 대부분은 듣는 것이 일이었다.

조금 전 남자와 같이 흔한 중년의 하소연부터 시작해서 남에게는 절대 말할 수 없는 은밀한 비밀들과 윤리적으로 차마 꺼낼 수 없었던 숨겨진 욕망의 말들까지. 직장 상사를 죽이고 싶어 하는 사람들은 오히려 얌전한 편이었다. 친척에게 욕정을 품었다는 사람. 지금 애인은 너무 질려서 바람을 피운다는 사람. 지금 배 속 아이가 남편 애가 아닌 것 같다고 걱정하는 사람. 그런 걸 듣고 있는 게 그리 쉬운 일은 아니지만 사회생활이 힘든 내 상황에서 이 술집은 내겐 삶의 이유 그 자체였다. 방금 같은 평범한 사람들이 손님이 만족하면 돌아갈 때면 나름의 보람 같은 걸 느끼기도 했다.

취기가 살짝 올라오는 걸 느끼며 테이블을 정리하고 있자니 다시금 문 열리는 소리가 들렸다.

“어서 오세….”

“나야.”

짧게 말한 남자는 오른손을 들어 독특한 손 모양을 만들어 보였다. 검지와 중지로 브이를 만든 상태에서 새끼손가락을 편 모습.

그 손을 본 나는 그가 누군지 알아챌 수 있었다.

"상욱이냐? 이 시간에 웬일이야?"

이상욱. 고등학교 때부터 내 유일한 친구이자 3년 전 내가 이 '하소연'을 차릴 수 있도록 도와준 사람. 얼굴을 알아보지 못하는 날 위해 저 손동작을 고안한 것도 상욱이였다.

'얼굴이나 옷으로 구분 안 돼도 이런 건 알아볼 거 아냐? 이제부턴 내가 너 볼 때마다 이렇게 할게. 그럼 넌, 아 저거 상욱이구나 하면 돼.'

상욱이가 주기적으로 날 끄집어내 주지 않았다면 난 이 세상을 등지고 영원히 방구석에서 갇혀버렸을지도 모른다. 그만큼 내겐 소중한 친구였다.

"이따 모임 있는데 시간 좀 비길래 들렀어. 간단히 술이나 한잔할 겸."

가볍게 이야기하며 자리에 앉는 상욱이였지만 사실은 다른 속셈이 있을 게 분명했다. 아니나 다를까 제육볶음을 내놓고 술을 따라 주자마자 상욱이는 본론을 꺼냈다.

"야. 친구야. 미안한데 나 돈 좀 빌려주면 안 되냐?"

난 그럼 그렇지 하는 표정으로 친구를 노려보며 말했다.

"얼마 전에도 십만 원 빌려 갔잖아. 그거 갚기도 전에 뭘 또 돈을 빌려 달래."

"알지. 아는데. 나 요새 벌이가 영 안 좋아서. 모임 가는데 빈털터리로 갈 수는 없잖아. 내 사정 좀 봐줘라. 내가 나중에 이자까지 쳐서 갚을게. 친구 좋다는 게 뭐야?"

상욱이의 말에 난 투덜거리며 지갑에서 오만 원짜리 두 개를 꺼내 테이블에 올려놨다.
"네 덕분에 가게 차린 거는 맞는데, 이리 다 가져가면 난 뭘 먹고 사냐?"
"미안해. 그리고 고맙다. 내가 진짜 금방 갚을게."
상욱이는 천천히 손을 내밀어 돈을 챙겼다. 잘 모르지만 아마도 미안하다는 표정을 짓고 있는 것 같았다.
"이거나 먹고 가. 양념 잘 배서 맛있더라."
희미하게 미소를 지으며 제육볶음 접시를 녀석에게 밀어주었다. 너무하다는 듯 투덜거리며 말하긴 했지만 사실 돈 빌려주는 것 정도는 전혀 아깝지 않았다. 난 상욱이에게 구원받았고 상욱이 덕에 삶의 이유를 찾았다 해도 과언이 아니었으니 오히려 어떤 걸로도 그 빚을 다 갚을 수 없을 것 같아 미안하기까지 한 수준이었다. 그럼에도 상욱이를 타박하는 이유는 그저 내 표현 방법이 서툴러서일 뿐이었다. 난 제육볶음을 맛있게 먹는 상욱의 모습을 흐뭇하게 지켜보았다.
"오늘도 잘 먹고 간다. 돈 고맙고, 다음에 또 보자."
친구를 배웅해 주고는 콧노래를 흥얼거리며 테이블을 정리했다. 최근 들어 상욱이가 자주 찾아와 주는 덕에 힘든 줄 모르고 일할 수 있는 것 같았다.

[띠링]
경쾌하게 울리는 소리에 휴대폰을 들어 문자를 확인했다. 상욱이

아버님이 보내신 메시지였다. 번호를 저장한 지 몇 년 되었지만, 메시지가 온건 처음이었다.
“뭐야. 부고? 상욱이 아저씨가 왜 부고 메시지를 보내셨지?”
난 의아해하며 메시지를 열고 내용을 찬찬히 읽어봤다.

[부고]
故 이상욱 님께서
0000년 00월 00일 별세하셨기에
삼가 소식을 전합니다. 오랜 투병 생활 끝에 먼 곳으로 떠나신
삼가 고인의 명복을 빕니다.
빈소: 00 장례식장. 발인: 00월 00일

세 번 정도 정독했지만 내용을 이해하기 어려웠다. 故 이상욱 님. 별세. 오랜 투병 생활. 상욱이가 오늘 죽었다면 내가 본 상욱이는? 난 다급히 밖으로 나가 사방을 둘러보았다. 하지만 가족의 얼굴조차 알아보지 못하는 내가 상욱이를 찾을 수 있을 리 없었다. 난 심호흡을 하며 상욱이 아버님께 전화를 걸었다.
“여보세요. 재혁이냐? 소식 듣고 전화해 줬나 보네. 그래. 고맙구나.”
난 떨리는 목소리로 물었다.
“어…. 어떻게 된 것에요?”
인사도 없이 튀어나온 질문이었지만 아저씨는 친절히 대답해 주었다.

"오늘 새벽에 떠났어. 걱정 마. 잠들 듯이 편히 갔으니. 한 2년 넘게 고생했는데 이젠 좋은 곳에서 안 아프고 편히 쉬겠지. 뭐 좋은 꼴 보여주겠냐고 주변에 연락도 않고 혼자 처절하게 병마랑 싸우더니만 그래도 우리 아들 세상을 헛살지는 않았나 보네. 이렇게 연락해 주는 친구가 있는 걸 보니."

눈물이 배어 나올 듯 슬픈 그 말에 난 절망감과 함께 말도 못 할 두려움을 느껴야 했다. 간신히 꼭 찾아뵙겠단 말을 하고는 전화를 끊었다.

분명 2년 전쯤 연락이 끊긴 적이 있었다. 하지만 몇 달 뒤, 상욱이는 가게로 찾아와 그간 아파서 연락을 못 했다고 이야기해 주었다. 이후 새 번호를 주었고, 자주 가게로 찾아왔다. 언제나 내게 그 손동작을 해 보이며. 옛 기억이라던가 여러 가지 부분에서 묘한 이질감 같은 게 느껴진 기억도 있지만, 나에겐 그다지 새삼스러운 것도 없어 그러려니 했는데 생각해 보면 그 손동작만 안다면 누구든 내 앞에서 상욱이가 될 수 있었다. 난 휴대폰을 들어 저장되어있는 상욱이에게 전화를 걸었다.

'어. 왜? 나 바쁜데?'

등줄기로 소름이 타고 올라왔다. 한참 동안 숨을 가다듬은 뒤에야 간신히 입을 열 수 있었다.

"....너 누구야?"

전화기 너머에선 잠시 말이 없다가 탄식 섞인 말이 들려왔다.

'아이씨…. 걸렸네.'

그 말을 끝으로 전화는 끊어졌다. 곧바로 다시 걸어봤지만 차단했는지 통화가 되지 않았다. 다시금 등줄기를 타고 오르는 소름에 호흡이 힘들어짐을 느끼며 가게에서 뛰쳐나왔다. 차가운 밤공기를 한참 들이마시고 나서야 조금은 진정이 되는 것 같았다. 힘겹게 주변을 둘러보았다. 많은 사람이 지나다니고 있었지만 역시나 내겐 다 똑같아 보였다. 가짜 상욱이도 지금 이 사람들 틈에 섞여 있을까? 구역질과 함께 눈물이 터져 나왔다. 이제 와서 그 가짜가 누구인지. 그 모든 것들을 어떻게 알았고 또 왜 그런 짓을 했는지는 중요하지 않았다. 그저 친구 하나 알아보지 못한 나 자신이 너무나 한심하고 혐오스러울 뿐이었다. 난 천천히 가게로 돌아왔다.

[하소연]

언제나 뿌듯하게 바라보던 입간판이지만 지금은 헛웃음만 나왔다.

"하소연은 무슨…. 들어 줄 깜냥도 안되는 주제에."

입간판을 가게 안으로 끌고 들어와서는 버너 위에 올려놓고 불을 켰다. 바싹 마른 나무 간판이 좋은 냄새를 풍기며 타들어 가기 시작했다.

"죽으면 상욱이 만날 수 있나? 알 게 뭐야. 알아보지도 못하는 새끼가."

점차 커지는 불이 가게로 옮겨붙는 걸 멍하니 바라보며 자조 섞인 웃음을 지었다.

8명의 이야기

'여덟, 산문집'

SPECIAL THANKS

가만한 나날 식구들, 김선욱 님

WON I JEONG 원 이 정

doonesbestw@naver.com

HYE JIN 혜 진

gp4590@naver.com

SIYO 시 요

rkdkhk@hanmail.net

KIM HYUN KI 김 현 기

khk084@naver.com

SEONG CHANG KYU 성 창 규

kyuisq@gmail.com

@tiger_brother

PUREUM 푸 름

jpreum@naver.com

NADE 네 이 드

ask.nade.lee@gmail.com

@n.a.d.e.lee

NEPTUNUSE 넵 튠

neptunuse@naver.com